À Annping

On ne devrait jamais montrer les rois sur scène. Dans l'abstrait, ce sont des personnages très déplaisants ; ils ne sont « le meilleur des rois » que de leur vivant… Quand on les représente *tels qu'ils étaient*, leur puissance et leur arrogance paraissent monstrueuses et ridicules.

William Hazlitt,
Characters of Shakespeare's Plays

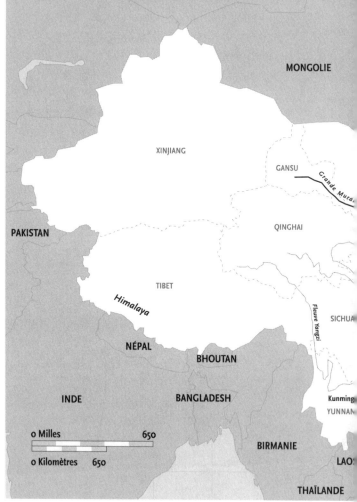

La Chine au XXᵉ siècle

MONGOLIE

XINJIANG

GANSU

Grande Muraille

QINGHAI

PAKISTAN

TIBET

Himalaya

NÉPAL

BHOUTAN

Fleuve Yangzi

SICHUAN

INDE

BANGLADESH

Kunming

YUNNAN

o Milles   650

o Kilomètres   650

BIRMANIE

LAOS

THAÏLANDE

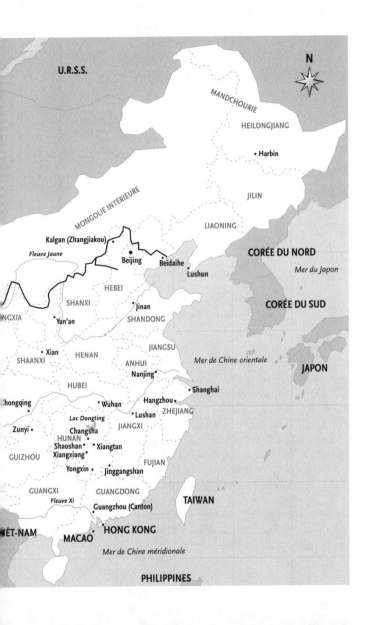

NOTE DU TRADUCTEUR

Transcription des noms propres et des noms de lieux. Nous avons utilisé, comme Jonathan Spence lui-même, le système pinyin élaboré par les linguistes chinois pour transcrire les noms propres en caractères latins, sauf dans les deux cas où la graphie s'écartait tellement de la forme à laquelle les lecteurs francophones sont habitués qu'ils auraient pu ne pas faire le rapprochement :

• Canton, qui s'écrit Guangzhou dans le système pinyin ;
• Chiang Kai chek, qui s'écrit Jiang Jieshi.

Dans ce dernier cas, nous avons emprunté une graphie légèrement modernisée du traditionnel « Tchang Kaï-Chek » que nous avons relevée dans *Mao Zedong*, Bassillac, Éditions Chronique, coll. « Chroniques de l'Histoire », 1998.

FILS DE PAYSAN, Mao avait reçu des rudiments d'instruction et ne se distinguait de ses contemporains que par son inépuisable énergie et une écrasante confiance en soi. Cela a suffi à faire de lui l'un des hommes les plus puissants de son époque et l'une des figures les plus énigmatiques d'une histoire pourtant riche en tyrans capricieux, mais capables de faire taire la critique pendant des années, voire des décennies grâce à leur charisme et à la sauvagerie de leurs partisans. Rien n'obligeait Mao à faire ce qu'il a fait : il est le seul responsable du naufrage de sa révolution économique et sociale sur l'écueil de la terreur. Sur son ordre, des millions de Chinois se sont jetés dans une aventure qui les a balayés comme des fétus de paille. Les victimes des pires dérèglements engendrés par ses lubies exècrent sa mémoire. À ceux que ses politiques ont servi ou fait rêver, il inspire encore, sinon de la vénération, à tout le

moins un certain saisissement devant l'immensité des forces qu'il a déchaînées. Ce n'est pas l'incohérence patente de
ses politiques, leurs «contradictions» comme il aimait à
dire, qui a eu raison de son pouvoir, mais sa déchéance
physique. Ce livre tente d'expliquer comment Mao a pu
monter si haut et se maintenir si longtemps au sommet en
dépit de ses excès. Pareil récit ne se comprend pas hors
contexte : le lecteur trouvera donc aussi dans ces pages les
éléments de l'histoire chinoise contemporaine dont il a
besoin pour interpréter cette singulière aventure indivi-
duelle. Les historiens chinois et occidentaux travaillent
actuellement à redonner visage humain à cet homme my-
thifié de son vivant par ses propres soins et ceux de quelques acolytes — avec une patience et une méthode qui
laissent beaucoup de chercheurs pantois. Nous avons
aujourd'hui une idée plus juste des relations de Mao avec
sa famille, ses amis, ses secrétaires particuliers ; au travers
de ses écrits de jeunesse, de ses poèmes, des brouillons de
plusieurs discours importants et d'une abondante correspondance personnelle, nous devinons un peu mieux les
tours et détours de sa pensée. Mais pour interpréter les
délires du personnage et expliquer l'acharnement qu'il a
mis à les réaliser, il faut au biographe autre chose que le
froid scalpel de l'analyse historiographique. Pour moi, Mao
n'opérait pas dans le monde de l'ordre, mais bien dans son
contraire : le monde du désordre. L'Angleterre moyen-

âgeuse a eu ses « seigneurs du désordre », domestiques de grandes maisons qui présidaient au renversement de la hiérarchie socio-économique à diverses occasions dans l'année : temps de Noël, fêtes de certains saints, festivals, etc. Il va sans dire que l'ordre établi reprenait très vite ses droits. Le seigneur du désordre retrouvait sa servitude, et celui de l'ordre ses privilèges. Le règne du désordre était toujours bref et bon enfant.

Il est arrivé que l'idée sorte de son cadre festif. Milton évoque « le désordre du Chaos » qu'il faut surmonter pour réaliser le but de la Création. Au XVIIᵉ siècle, certains ecclésiastiques voient dans Cromwell un seigneur du désordre. Un siècle plus tôt, l'expression a pris une connotation sexuelle dans une pièce de John Lyly, *Endymion*, dont le héros déclare : « L'amour est un seigneur du désordre qui me garde Noël au corps. » On observe des jeux de même nature dans d'autres sociétés européennes préindustrielles : ici, maîtres et apprentis changent de place pour quelques jours de défoulement ; là, hommes et femmes endossent les habits et attitudes de l'autre sexe pendant une journée de comédie. Les philosophes chinois savouraient les paradoxes engendrés par ce travestissement de la réalité sociale et appréciaient le pouvoir de révélation inhérent au comique et au malaise qu'il provoque. Le désordre n'était pas inscrit dans leur calendrier, mais ils savaient pertinemment que tout devient possible lorsqu'on met une société sens dessus dessous. Pour ces dialecticiens-nés qui voyaient dans chaque chose les germes de son contraire, le désordre était consubstantiel à l'ordre. La tragique originalité de Mao a consisté à enrober cette intuition philosophique d'un vernis socialiste importé d'Occident et à utiliser le résultat pour prolonger à l'infini le règne du désordre. Dans l'univers qu'il voulait engendrer, les maîtres ne récupéreraient jamais leurs privilèges ; ils ne valaient pas mieux que les autres, après tout, et la société se passerait très bien d'eux. Il n'y aurait plus d'ordre établi : le temps suspendrait son vol le dernier jour de la fête. Mao était persuadé que la volonté humaine est trop fragile pour supporter longtemps le traumatisme du changement. Il voulait amener ses concitoyens à faire l'impossible en pensant à leur place. Ce seigneur du désordre n'était pas homme à se laisser détourner de sa mission par des arguments d'ordre et de raison. Il était trop persuadé de son omniscience.

Un enfant du Hunan

La NAISSANCE DE MAO ZEDONG à la fin de 1893 coïncide avec le début d'une des décennies les plus sombres et humiliantes de la longue histoire chinoise. La dynastie Qing agonise, incapable d'utiliser le pouvoir qu'elle détient depuis un quart de millénaire ni pour faire évoluer le pays, ni même pour se perpétuer. Voilà plus de 30 ans qu'elle mise tout sur la modernisation de ses forces navales et terrestres. Hélas, en 1894, la flotte dont elle est si fière est détruite par les Japonais dans une guerre aussi brève que coûteuse en vies chinoises. Le vainqueur s'octroie une vaste zone d'influence dans le sud de la Mandchourie — région d'où sont issus les Qing — et annexe l'île de Taïwan, qu'il transforme en colonie. Avant la fin du siècle, l'Allemagne aura saisi dans le nord du pays une région proche du lieu de naissance de Confucius, la Grande-Bretagne aura agrandi sa concession le long du fleuve Yangzi, au centre du pays, et la France aura étendu la sienne dans les montagnes du Sud-Ouest. En 1898, un empereur déterminé à moderniser l'économie et les institutions est renversé 100 jours après avoir lancé un premier train de réformes. En 1900, une rébellion éclate dans le Nord : Beijing est prise, des dizaines d'étrangers et des milliers de Chinois convertis à la foi chrétienne sont massacrés. Pour venger leurs ressortissants, huit nations étrangères organisent un corps expéditionnaire qui envahit la Chine. Ces catastrophes s'abattent sur une société dont certains éléments amorcent une profonde mutation. Dans quelques grandes villes côtières comme Shanghai et Canton émerge peu à peu une classe qui partage bon nombre des traits de la bourgeoisie occidentale. Certains de ses membres, formés à l'école des missionnaires, connaissent la pensée scientifique, religieuse et politique de l'Occident ; d'autres se sont penchés sur ses méthodes commerciales, ont découvert l'efficacité de la publicité, importent et distribuent des produits étrangers ou appliquent des formes inédites d'organisation du travail dans leurs entreprises naissantes. Cette classe moyenne lit la presse chinoise réformiste, utilise les services postaux et télégraphiques fraîchement créés par des entreprises étrangères, voyage en bateau à vapeur à l'intérieur du pays.

Dans une province enclavée et essentiellement rurale comme le Hunan, ces changements sont encore imperceptibles. Il n'y a qu'à Changsha, la capitale, qu'on peut trouver un noyau important de partisans affichés des réformes, et ils s'intéressent bien plus aux événements qui secouent les villes de la lointaine côte est qu'à la vie sans histoire des villages et des fermes qui les entourent. C'est l'un de ces villages qui voit naître Mao Zedong le 26 décembre 1893, dans une grande maison à patio et toit de tuiles : Shaoshan, à une cinquantaine de kilomètres au sud et légèrement à l'ouest de Changsha. Ses parents y possèdent une ferme d'environ un hectare, superficie très modeste à l'échelle occidentale, mais qui suffit à faire vivre une famille dans cette région du Hunan si elle est bien exploitée. Dès l'âge de six ans, l'enfant participe aux travaux agricoles ; il continuera à donner un coup de main matin et soir après avoir commencé à fréquenter l'école primaire de son village, à l'âge de huit ans. Son père, qui n'a que deux années d'études, en fait son aide-comptable sitôt qu'il maîtrise les rudiments de la lecture et de l'écriture. En 1907, il le retire de l'école pour l'employer à plein temps. Entre-temps, il s'est assez enrichi pour acheter au moins un tiers d'hectare, embaucher un ouvrier agricole et se lancer dans la vente en gros de céréales. Originaire d'un canton au sud-ouest de Shaoshan, la mère de Mao n'est pas née bien loin, mais dans cette société paysanne très peu mobile, une chaîne de collines suffit pour différencier les dialectes : femme et mari parlent donc des langues assez différentes. Elle lui donnera sept enfants — deux filles et

cinq garçons —, mais seuls trois garçons survivront. Mao
Zedong, né l'année de ses 27 ans, est l'aîné des survivants.
Le peu que nous savons de son enfance et de sa prime
adolescence évoque un monde immuable, ancré dans des
coutumes paysannes immémoriales. Son père, un ancien
soldat de l'armée provinciale, est un homme emporté et
opiniâtre ; il méprise le bouddhisme que sa femme pratique avec ferveur. Peut-être marqué par la douceur de ses
grands-parents maternels, chez qui il a vécu plusieurs mois
quand il était tout jeune, Mao se sent plus proche d'elle que
de lui. Dans l'éloge qu'il fera d'elle après sa mort, en 1919,
il évoquera l'« amour impartial » qu'elle éprouvait pour
tous ses semblables, sans distinction de parenté ou de
proximité, et rappellera qu'elle « ne mentait et ne trichait
jamais. Elle était soignée et méticuleuse. Tout ce dont elle
s'occupait était bien fait. Ses idées étaient claires, ses analyses justes. Rien n'était négligé, rien n'était égaré. » Si attaché que Mao soit à sa mère, c'est son père qui prend toutes
les décisions importantes le concernant. Or, il a résolu que
son fils ferait cinq années d'étude à Shaoshan sous la férule
d'un maître de la vieille école : tout juste assez pour s'imprégner du canon confucéen sur le respect filial et s'initier
à la civilisation chinoise du Ier millénaire av. J.-C. Rien n'indique que le garçon ait été encouragé à apprendre plus que
le strict nécessaire pour les besoins de l'exploitation familiale. Aucune incitation, par exemple, à se présenter au

concours d'État qui donnait accès à la bureaucratie et, par là, à la petite noblesse rurale. (Aurait-il nourri cette ambition qu'elle se serait évanouie avant même la fin de ses études primaires : en 1905, un décret impérial supprima le régime de recrutement basé sur l'étude de la pensée confucéenne.) Le père de Mao voulait que son fils sache manipuler un boulier, ayant l'intention de le placer comme apprenti chez un négociant de riz, mais, hormis les leçons d'obéissance filiale et de calcul, la seule utilité qu'il voyait à ses études, c'était la possibilité qu'une citation opportune d'un grand classique l'aide « à gagner des procès ». À 13 ans, Mao abat « autant de travail qu'un homme » ; son père trouve donc tout naturel de le marier. L'élue est une jeune fille d'un clan voisin. Les Luo ont des terres, certains de leurs fils sont instruits, et la grand-mère de la fiancée est la sœur du grand-père du fiancé. Le mariage a lieu en 1907 ou 1908 ; Mao a 14 ans, sa femme 18. Elle mourra deux ou trois ans plus tard. Aucune trace d'une éventuelle descendance. Mao n'a jamais évoqué ce premier mariage par la suite. Est-ce ce veuvage qui l'arracha à l'univers prédestiné de la ferme et de la famille, ou un pressentiment, un écho assourdi du vaste monde flottant dans l'air quiet de son village ? Lui-même imputera cette rupture à un livre que lui avait envoyé un cousin et qu'il avait intégré à son menu romanesque habituel. Mao raffolait des romans histori-ques. Il avait découvert le genre pendant ses études et disséquait intrigues et personnages avec une telle minutie qu'il connaissait bon nombre de ces récits par cœur et pouvait en remontrer aux plus fins conteurs du village. Le livre du cousin ne ressemblait guère à ceux dont Mao avait l'habitude. Intitulé *Avertissement à un âge d'affluence* (*Shengshi weiyan*), il n'était pas l'œuvre d'un écrivain, mais d'un marchand qui avait travaillé avec des entreprises occidentales implantées en Chine. Pressentant ce qui risquait d'arriver à son pays si rien n'était fait pour juguler l'appétit des étrangers, Zheng Guanying suppliait ses compatriotes de réagir avant qu'il ne soit trop tard : il prônait entre autres la construction de chemins de fer et de lignes télégraphiques, l'industrialisation, la mise en place d'un réseau de bibliothèques publiques et — audace suprême — l'instauration d'un gouvernement de type parlementaire. Ce livre, dira plus tard Mao à un journaliste, « m'a donné envie de reprendre mes études ». Il n'a pas les moyens de son ambition, et son père ne veut pas lui verser un sou. En 1910, il quitte quand même la ferme familiale et se déniche dans la ville voisine de Xiangtan deux tuteurs prêts à travailler avec lui à temps partiel : un vieil érudit et un étudiant en droit. Pendant que le plus jeune lui fait lire la presse, le plus vieux développe sa connaissance des classiques à un point que le maître d'école de son village aurait été bien incapable d'atteindre. Parmi ces lectures très éclectiques, on trouve — nouveau cadeau du cousin ou sugges-

tion de l'étudiant en droit ? — un pamphlet sur le démem-
brement de la Chine qui dénonce pêle-mêle l'emprise
japonaise sur Taïwan et la Corée, les conquêtes françaises
en Indochine et le protectorat britannique en Birmanie.
Des décennies après l'avoir lu, Mao pouvait encore citer la
première phrase de ce brûlot — hélas ! la Chine sera asser-
vie — auquel il attribuait son éveil politique. Une crise
beaucoup plus immédiate a dû contribuer à cette prise de
conscience : victime d'une série de mauvaises récoltes, le
Hunan connaissait la famine, et des paysans désespérés
saisissaient les stocks de riz de marchands fortunés. L'un
des chargements réquisitionnés appartenait au père de
Mao. Plus tard, Mao avouera avoir été écartelé entre ses
obligations familiales et sa conscience sociale, ne pouvant
soutenir ni ce père qui continuait à vendre le riz de sa
ferme dans les villes de la région alors qu'on mourait de
faim au village, ni ceux qui s'emparaient du bien d'autrui
par la force. Xiangtan bruisse de rumeurs sur ces pillages et
sur des événements autrement plus graves : des sociétés secrètes ont pris les armes, Changsha, la capitale provinciale,
est en proie aux émeutes, des paysans aux abois bâtissent
des villages fortifiés dans les montagnes avoisinantes. Les
autorités ne reculent devant rien pour maintenir ou rétablir l'ordre. À Changsha, elles ont promis l'impunité aux
émeutiers, mais les ont fait arrêter et décapiter sitôt le
calme revenu. Les têtes empalées des malheureux ont été

exhibées sur la place publique en guise d'avertissement aux rebelles en puissance. À Shaoshan, village natal de Mao, des villageois qui contestaient un jugement inique ont été faussement accusés par leur adversaire, un grand propriétaire foncier, d'avoir sacrifié un enfant pour faire pencher la balance en leur faveur. Le groupe a été discrédité, et son chef décapité. À la fin de 1910, Mao retourne à l'école dans un bourg du canton de Xiangxiang situé au confluent de plusieurs grandes voies de commerce fluviales et terrestres. Il a choisi un établissement « radical » qui met l'accent sur le « nouveau savoir » occidental. Son père a donné son accord, persuadé par des voisins que son fils décrocherait un emploi plus lucratif s'il poursuivait ses études. Mao peut donc payer d'avance cinq mois de pension et acheter les fournitures scolaires essentielles. Les autres élèves ne sont pas tendres pour ce paysan mal dégrossi, « étranger » parce qu'originaire du canton voisin, mais il ne renoncerait pas pour si peu à découvrir enfin les sciences naturelles et le savoir occidental tout en approfondissant sa connaissance des classiques chinois.

L'un de ses professeurs a étudié au Japon, comme le font de plus en plus de jeunes intellectuels réformistes. Là-bas, il a coupé la tresse que portent tous les Chinois depuis la conquête mandchoue, au XVIIe siècle. Ce sacrifice à la modernité étant illégal en Chine, il porte une tresse postiche pour donner les leçons de musique durant lesquelles il enseigne à ses élèves des chants japonais, dont un hymne célébrant la victoire du Japon sur la Russie en 1905. Bel exemple des innombrables paradoxes de la transition chinoise!

Ce triomphe d'un pays asiatique sur une puissance de type occidental enthousiasme les jeunes Chinois. Ils voient dans la fulgurante régénération politique et économique de leur voisin le présage de celle qui attend leur propre pays. « Le rossignol danse / et les champs verdoient au printemps » : Mao n'oubliera jamais les paroles de cette chanson qu'entonnait sa classe avec ferveur sous la direction de l'homme à la fausse tresse.

D'autres professeurs lui font connaître les figures illustres de l'Occident, Napoléon et Catherine de Russie, Wellington et Gladstone, Rousseau et Montesquieu, Washington et Lincoln. Dans un livre intitulé *Les grands héros du monde*, il lit une phrase qui se grave dans sa mémoire : « Au terme de huit années d'une guerre difficile, Washington remporta la victoire et bâtit son pays. »

Pour la première fois de sa vie, il est en contact direct avec le monde extérieur. Il apprend, deux ans après le fait, la mort de l'empereur qui occupait le trône à sa naissance. Il reçoit aussi du cousin qui lui avait fait parvenir l'*Avertissement* les écrits de deux brillants lettrés, exilés après l'échec des réformes politiques mises en train par cet empereur : le philosophe Kang Youwei et son disciple Liang

Qichao, un historien devenu journaliste. Fidèle à la méthode confucéenne, Kang prône l'établissement d'une monarchie constitutionnelle qui préserverait la dynastie Qing et relèverait le prestige de la Chine face à l'Occident. Plus hardi, Liang appelle à la révolution, s'inspirant du modèle français et du mouvement italien d'unification et d'émancipation nationales au XIXᵉ siècle. Un quart de siècle plus tard, Mao avouera avoir lu et relu ces textes si souvent qu'il les connaissait par cœur. « Kang Youwei et Liang Qichao étaient mes idoles ; j'étais plein de gratitude pour mon cousin. » Mais de même qu'il a réprouvé la confiscation des sacs de riz de son père, de même il récuse le radicalisme de Liang, lui préférant une réforme de la monarchie.

D'abord séduit par l'idée d'étudier les sciences naturelles, il s'est vite lassé de leur « pesante minutie ». L'histoire de la Chine demeure sa grande passion. Parce qu'elle est bien enseignée et, peut-être, parce qu'en bon monarchiste il persiste à croire que « l'empereur et la plupart des fonctionnaires sont honnêtes, bons et intelligents », il reste « fasciné par la chronique des règnes anciens » et lit ces récits avec beaucoup d'intérêt.

Une bonne école stimule la curiosité intellectuelle. En 1911, tout juste quelques mois après avoir quitté la ferme familiale, Mao décide de monter à Changsha. Il ne redoute pas le contact avec la grande ville, car on lui a recommandé une école secondaire fréquentée par les jeunes gens de sa région. Ses chances lui paraissent minces, mais il fait quand même 50 kilomètres à pied pour présenter sa candidature, armé d'une recommandation d'un de ses professeurs (il ne dit pas s'il s'agissait de l'homme à la fausse natte). Il est accepté séance tenante.

Mao vient d'avoir 17 ans. Le régime impérial qui l'a vu naître touche à sa fin. L'opposition s'est emparée des assemblées de notables élues dans toutes les provinces sur ordre de l'empereur. À l'origine, elles devaient servir de simple paravent consultatif, mais leurs membres ont élargi d'autorité leurs prérogatives. S'appuyant sur la nouvelle classe moyenne, entreprenante, instruite et avide de changement, ils revendiquent la convocation d'une assemblée nationale et le droit d'exercer les pleins pouvoirs législatifs. Les membres du parti clandestin de l'exilé cantonais Sun Yat-sen ont noyauté plusieurs de ces assemblées ou y ont placé des amis. Ils ont également infiltré les forces armées, profondément démoralisées en dépit de la modernisation de leur équipement et de leur formation. Les régents qui gouvernent au nom du petit empereur de six ans sont honnis pour leur mollesse face aux étrangers. On leur reproche d'avoir livré les grandes infrastructures ferroviaires en pâture aux capitalistes occidentaux ; la nationalisation des chemins de fer, menée avec une extrême maladresse, n'a fait que jeter de l'huile sur le feu.

Comment un garçon de 17 ans résisterait-il à tant d'effervescence ? Changsha, capitale du Hunan, est le siège de son assemblée provinciale, et les journaux radicaux y pullulent. Mao se délecte de leur lecture. Au printemps, toute la ville est galvanisée par le soulèvement des partisans de Sun Yat-sen à Canton (leur chef n'y participe pas : toujours en exil, il fait la navette entre le Japon, le Sud-Est asiatique et les États-Unis en quête d'argent et d'appuis). Les 72 martyrs qui ont donné leur vie pour libérer la Chine du joug des Qing sont portés aux nues. Les thèses de Sun Yat-sen font basculer Mao dans le camp révolutionnaire, sans le détourner totalement de ses premières idoles : dans un manifeste qu'il colle ce printemps-là au mur de son école, il propose de faire de Sun Yat-sen le président, de Kang Youwei le premier ministre et de Liang Qichao le ministre des Affaires étrangères de la future république de Chine. N'empêche qu'il est à présent de toutes les manifestations étudiantes contre le régime. Et qu'il n'admet pas la tiédeur de la part de ses camarades : si l'un d'eux montre la moindre répugnance à couper sa natte, il empoigne des ciseaux et tranche l'objet du litige avec l'aide d'un ami.

Au début d'octobre, la garnison de Wuhan, non loin de Changsha, se mutine. La prise de la ville par les rebelles provoque une réaction en chaîne. Dans beaucoup de régions, l'assemblée provinciale est le catalyseur du soulèvement. L'Alliance révolutionnaire de Sun Yat-sen se rallie aux révoltés avec tous ceux qui aspirent au changement ou ne supportent plus l'incompétence des gouvernants. Après avoir entendu un discours d'un représentant de l'Alliance à l'école, Mao résout de partir pour Wuhan et de s'enrôler dans l'armée révolutionnaire. Le héros en herbe est un homme prévoyant : s'étant fait dire qu'il pleuvait beaucoup là-bas, il décide de s'équiper d'abord de chaussures imperméables. Il les cherche encore lorsque Changsha est occupée à son tour, presque sans incident, par les forces de deux révolutionnaires locaux. C'est donc en spectateur que Mao assistera à l'extension du mouvement dans sa province et dans le reste du pays. En février 1912, abandonnés de la plupart de leurs partisans, les régents abdiquent. La Chine devient une république. Le pouvoir passe brièvement aux mains de Sun Yat-sen avant d'échoir à l'un des hommes forts de l'ancienne dynastie, un militaire de carrière qui ambitionne de consolider l'État et de réorganiser de fond en comble le gouvernement.

Pour Mao, la principale leçon de cette tumultueuse succession d'événements, c'est que la fortune est dangereusement capricieuse. Les deux hommes qui avaient été les instigateurs de la révolution à Changsha s'appelaient Jiao Defeng et Chen Zuoxin. Le premier venait d'une famille de riches propriétaires terriens du Hunan ; après un court stage dans une école des chemins de fer japonais, il était rentré en Chine et avait fondé un groupe révolutionnaire baptisé « En avant ensemble » avec le soutien d'une société secrète. Grâce à l'appui financier de l'Alliance révolutionnaire, il avait monté un remarquable réseau de partisans parmi les boutiquiers, les paysans, les artisans, les coolies et les soldats. En 1911, ce garçon de 25 ans commandait une petite armée clandestine par l'entremise d'une série d'organisations de façade. Officier dans l'armée impériale, Chen était l'un de ses intimes. Les deux hommes étaient probablement d'accord avec Sun Yat-sen pour instaurer une république, mais ils voulaient aussi que la révolution profite aux plus déshérités et renforce l'influence des sociétés secrètes.

Jiao et Chen étaient braves et habiles — ils en avaient donné la preuve lors de la prise de Changsha — mais ils n'avaient pas le soutien des riches marchands et des lettrés qui dominaient l'assemblée provinciale. Dès que leurs véritables objectifs furent connus, un petit groupe de politiques et de militaires s'appliqua à les priver de leurs appuis. Ils moururent assassinés par leurs troupes mutinées. Comme le racontera succinctement Mao, « ils n'ont pas duré longtemps. Ils n'étaient pas mauvais et avaient des intentions révolutionnaires, mais ils étaient pauvres et défendaient les opprimés. Les propriétaires terriens et les marchands n'étaient pas contents d'eux. Quelques jours plus tard, en allant chez un ami, j'ai vu leurs cadavres dans la rue. » Rude initiation aux réalités de la lutte armée pour le pouvoir !

Le sort de Jiao et de Chen semble avoir fait réfléchir Mao. Ayant raté la chance de servir dans la première armée révolutionnaire à cause de la rapidité des événements (et de la pénurie de caoutchoucs), il ne chercha pas à rattraper l'occasion perdue en s'enrôlant dans la brigade étudiante qui s'organisait à Changsha. Ses objectifs lui semblaient flous, et ses chefs, incompétents. Il lui préféra l'armée de métier que le talent rhétorique et stratégique de Jiao et de Chen avait retournée contre ses maîtres. Paradoxalement, il se plaçait ainsi sous l'autorité des hommes qui avaient manigancé le meurtre des deux jeunes chefs révolutionnaires.

Il semble avoir passé ses six mois de service en garnison à Changsha, à l'écart des combats. Il s'y fit quelques amis, dont un mineur et un forgeron. Lui ont-ils parlé de leur expérience du monde du travail? Si tel a été le cas, Mao a dû être très frappé par ce qu'ils lui racontaient, car il lisait alors dans la *Revue du fleuve Xiang* quantité d'articles sur les théories socialistes, un sujet tout à fait nouveau pour lui (il avouera y avoir découvert le mot « socialisme »). De fil en aiguille, il mit la main sur quelques essais d'un des premiers théoriciens et organisateurs socialistes chinois, mais lorsqu'il écrivit à quelques-uns de ses anciens camarades de classe pour leur faire part de sa trouvaille, un seul manifesta de l'intérêt.

Auprès des membres de sa brigade, en revanche, Mao jouit du prestige de l'homme instruit malgré son jeune âge

— pas tout à fait 18 ans — et ses origines paysannes. Les
lettres qu'il écrit aux familles de ses camarades analphabè-
tes lui valent un respect inusité, qui semble lui monter à la
tête. Les soldats sont censés s'approvisionner en eau aux
sources ou aux puits qui environnent la ville. Mao s'y refuse. Un ancien étudiant, expliquera-t-il plus tard, ne pouvait pas s'abaisser à puiser de l'eau; c'est pourquoi il
l'achetait à des vendeurs ambulants. Il se privait donc de
revues socialistes pour payer un service dont il n'avait nul
besoin! Choix ironique, mais compréhensible quand on
connaît le poids de la hiérarchie sociale en Chine. En tout
état de cause, Mao se lassa vite de la vie militaire. Malgré
les conflits entre les chefs politiques et militaires du parti
républicain, la dynastie était tombée comme un fruit mûr,
et l'avenir semblait chargé de promesses. «Croyant la révolution terminée, se rappellera Mao, j'ai démissionné de
l'armée et je suis retourné à mes livres.»

CHAPITRE 2

À l'école normale

RETOURNER À SES LIVRES : c'était plus vite dit que fait. Pendant quelques mois, Mao épluche les petites annonces et se laisse naïvement (il l'avouera dans ses mémoires) séduire par les mirobolantes promesses d'une série d'établissements soi-disant spécialisés : écoles de police, de droit ou de commerce, fabrique de savons, etc. Surgis du bouleversement de la société chinoise, ces nouveaux établissements de formation professionnelle cristallisaient les ambitions de la jeunesse, mais leurs prétentions étaient démesurées — aussi invérifiables qu'indémontrables. Comme bien d'autres, Mao s'y laissera prendre et sera amèrement déçu, entre autres parce que bon nombre de ces cours se donnaient en anglais, langue dont il ne connaissait que quelques rudiments acquis à l'école primaire. Vers le milieu de 1912, peut-être pour se donner le temps de digérer cette leçon, il s'inscrit dans une école secondaire de

Changsha qui offre un enseignement plus traditionnel. Croyant déceler en lui des « talents littéraires », ses professeurs l'orientent vers l'histoire de la Chine impériale. L'un d'eux lui fait lire une collection d'édits de Qianlong, empereur conquérant du XVIIIe siècle dont le règne a coïncidé avec une longue période de prospérité. D'autres approfondissent sa connaissance des grands classiques et notamment des *Mémoires historiques* (*Shiji*) de Sima Qian, un historien du IIe siècle av. J.-C. qui est considéré encore aujourd'hui comme le plus grand annaliste chinois. Mao a sûrement déjà lu au moins des abrégés de certains de ces récits. À l'école primaire, déjà, il se passionnait pour l'histoire de la Chine impériale et plus particulièrement, pour l'épopée des Qin, première dynastie à avoir placé la totalité du territoire chinois sous l'autorité d'un empereur, en 221 av. J.-C. Un essai rédigé en juin 1912 sur le seigneur Shang, un grand serviteur des Qin, nous livre d'intéressants indices psychologiques sur le collégien de 18 ans. Dans l'ensemble, les historiens chinois ont jugé très sévèrement ce ministre brutal et retors dont les lois draconiennes terrifiaient le peuple, étouffant toute velléité de protestation. Pour Sima Qian, le seigneur Shang avait été « doué par le Ciel d'une nature cruelle et sans scrupule », inaccessible à la pitié. Pour son jeune exégète, l'illustre historien a tout faux ! Le point de départ de sa démonstration est un extrait assez obscur de la biographie du seigneur Shang par Sima

Qian. Ayant rédigé un nouveau code de lois, le ministre veut convaincre les sujets de l'empereur de s'y conformer.

> La veille de la promulgation des nouvelles lois, craignant la défiance populaire, le seigneur Shang planta une perche de trois verges à la porte sud de la principale place de marché et promit dix pièces d'or à quiconque la transporterait jusqu'à la porte nord. Personne ne s'y risqua, car le peuple se méfiait. Le seigneur Shang porta alors la récompense à 50 pièces d'or. Cette fois, un homme déplaça la perche. Il reçut aussitôt les 50 pièces promises. Ayant ainsi prouvé sa sincérité, le seigneur Shang promulgua les lois.

Mao explique qu'en lisant cet extrait il a été consterné par « la sottise des habitants de notre pays ». En ce temps-là comme aujourd'hui, les Chinois « dépendaient les uns des autres » : quelle folie les poussait à se méfier de leur gouvernement ? Les lois du seigneur Shang étaient « justes », tranche fermement Mao, qui tient le ministre pour l'un des fondateurs de la lignée quatre fois millénaire des bâtisseurs de la puissance chinoise : n'a-t-il pas défait les États frontaliers rivaux, unifié la plaine centrale, préservé le niveau de vie de la population, accru le prestige de l'État et « réduit les indigents et les paresseux en esclavage pour mettre fin au gaspillage » ? Le fait qu'il a dû offrir de l'or au peuple pour le convaincre de la sincérité de ses intentions prouve seulement « la stupidité des habitants de notre pays », stupidité qui perdure encore aujourd'hui et a réduit

le peuple chinois à une ignorance et à une obscurité si
profondes que la Chine « a frôlé la destruction ». Dans cette
anecdote, Mao voit tout ensemble une illustration du conservatisme populaire — « quelle que soit la nouveauté, les
masses y sont toujours hostiles au début » — et un secret
honteux. Si les nations occidentales ou les peuples « civili-
sés » de l'Orient (c'est-à-dire les Japonais) apprenaient cette
histoire, conclut-il, ils « riraient à s'en tenir le ventre et cla-
queraient moqueusement la langue ». Cette peur du ridicule
est intéressante en soi : elle évoque les critiques acerbes de
missionnaires étrangers que les Chinois progressistes se
faisaient un malin plaisir de traduire et de répandre,
comme du sel sur une plaie. Mao avait dû lire certaines de
ces traductions dans les journaux qu'il dévorait. Plus inté-
ressant encore, l'appui catégorique accordé aux lois du
seigneur Shang que tant de grands lettrés avaient condam-
nées sans appel au cours des millénaires. Elles prévoyaient
le regroupement de toute la population au sein d'unités de
cinq ou dix ménages qui se surveilleraient les uns les autres
et seraient mutuellement responsables de leurs agisse-
ments : quiconque aurait connaissance d'un délit devrait
dénoncer le coupable sous peine d'être coupé en deux à la
taille. Les familles ayant plus de deux fils seraient tenues de
former un deuxième foyer fiscal. Chaque citoyen devrait
« consacrer toutes ses forces » à l'agriculture et au tissage,
quel que soit son âge ; les profiteurs et ceux qui « s'appau-

vrissaient par paresse » deviendraient des esclaves de l'État. Le statut socio-économique serait clairement matérialisé par la tenue vestimentaire et les règles de propriété. Quiconque logerait ou recevrait un étranger non accrédité serait poursuivi. Quelques mois après la rédaction de cet essai si sévère pour lui, le peuple chinois vécut sa première et unique campagne électorale nationale. Convoquée dans le cadre de la constitution provisoire de 1912, elle fit éclore une foule de partis politiques. Seuls les hommes possédant un certain niveau d'instruction ou de fortune pouvaient poser leur candidature. Sortie de la clandestinité, l'Alliance révolutionnaire de Sun Yat-sen fut rebaptisée pour l'occasion « Parti nationaliste » (*Guomindang*). Le scrutin lui donna une large majorité relative, mais non la majorité absolue. Hélas ! en mars 1913, Song Jiaoren, un proche de Sun Yat-sen qui avait été l'architecte de la victoire nationaliste et que beaucoup voyaient déjà premier ministre, fut assassiné à Shanghai en attendant le train qui devait l'emmener à Beijing. Les instigateurs de ce meurtre n'ont jamais été identifiés, mais le principal suspect est le général Yuan Shikai, un ex-gouverneur impérial qui exerçait alors les fonctions de président de la République et était farouchement hostile au Guomindang. Quelques mois après ce crime, Yuan Shikai interdisait le Parti nationaliste et forçait la plupart de ses chefs, dont Sun Yat-sen, à s'exiler. Pendant les 14 années de maturation intellectuelle du jeune Mao, le

Parlement chinois fut donc une coquille vide : le pouvoir réel était exercé au niveau provincial par des chefs de guerre. Mao n'a pas commenté les événements de 1913, du moins pas dans les sources dont nous disposons. Il dit avoir passé cette année-charnière à étudier à la bibliothèque publique dont Changsha avait été dotée à l'initiative des conseillers réformateurs des derniers empereurs. À court d'argent, il loge dans le tapage d'une auberge réservée aux natifs du Xiangxiang. Il passe ses journées à la bibliothèque, ne s'interrompant que le temps d'engloutir deux gâteaux de riz à midi, tout entier absorbé par l'étude de l'histoire et de la géographie mondiales. Il scrute la carte du monde — qu'il vient de découvrir — et explore les théories politiques occidentales par le biais de traductions de John Stuart Mill, Rousseau, Montesquieu ou Adam Smith, dont il mentionne nommément *La richesse des nations*. Il date de la même époque sa lecture de *L'origine des espèces* de Darwin et de Herbert Spencer. Il n'y a là rien d'invraisemblable, car tous les titres qu'il cite avaient alors été traduits en chinois et figuraient au catalogue des bonnes bibliothèques provinciales. Vie solitaire, sans but précis ; en tout cas, c'est ce que pense le père de Mao, qui menace de lui couper les vivres s'il ne reprend pas des études débouchant sur un vrai diplôme et un emploi bien rémunéré. À l'auberge, la vie devient intenable : des rixes éclatent constamment entre étudiants et militaires démobilisés. Une fois, Mao est obligé de se cacher dans les toilettes pour échapper à une bande de soldats résolus à tuer tous les étudiants qui leur tomberaient sous la main. C'en est trop. Un établissement de Changsha, la « quatrième école normale du Hunan », recrute justement par petite annonce des élèves-instituteurs. Scolarité gratuite, pension très modique. Mao se laisse convaincre de présenter sa candidature par deux amis qui l'ont prié de rédiger pour eux l'essai complétant leur dossier d'admission. À l'automne 1913, ayant obtenu de son père une promesse écrite de soutien financier, il fait acte de candidature. Ses deux amis et lui sont acceptés ; il aura donc « été reçu trois fois ». Cette école sera bien plus qu'un refuge : Mao y trouvera non seulement des maîtres dignes de respect et d'admiration, mais aussi des amis avec lesquels partager les joies et les peines de son existence. Il y passera cinq ans. Le règlement lui pèse, en particulier l'obligation d'assister aux cours détestés de sciences naturelles et de dessin d'après nature, mais ces inconvénients sont largement compensés par la qualité de l'enseignement de la langue chinoise et des sciences sociales. Il reprend à zéro l'étude du chinois ancien sous la férule d'un professeur qui critique sans pitié les tics « journalistiques » acquis au contact de ses idoles politiques. Yuan la Grande Barbe, comme l'ont surnommé ses élèves, l'initie à la littérature des VIIIe et IXe siècles, héritage de la dynastie Tang, que beaucoup tiennent pour le

sommet de la poésie et de la prose chinoises. Les fragments
des cahiers de notes de Mao qui nous sont parvenus témoignent de l'extraordinaire diversité des œuvres traitées par
Yuan et de la minutie avec laquelle il les disséquait devant
ses élèves : les variantes de la prononciation classique, le
vocabulaire socio-économique archaïque, les personnages
historiques évoqués, les œuvres de l'époque confucéenne
dont l'auteur s'était inspiré, etc. D'autres pages de notes
montrent que Yuan (ou l'un de ses collègues) analysait avec
tout autant de soin des poèmes du milieu du XVIIe siècle se
désolant de la victoire, alors récente, des Mandchous sur la
glorieuse dynastie des Ming : élégies nationalistes frôlant le
racisme dans leur mépris du barbare étranger et leur exal-
tation de la grande tradition littéraire chinoise. Le vernis
de culture que Mao acquiert au contact de ses professeurs
de littérature ne se compare en rien à la connaissance ency-
clopédique des membres de sa génération qui se sont voués
très jeunes à l'étude des classiques sous l'égide de fins lettrés, mais il lui donnera pour la poésie un goût qui ne se
démentira jamais. Même en pleine tourmente révolutionnaire, Mao lira et écrira des poèmes classiques. Plus encore
que l'étude de la littérature, celle des sciences sociales
marque Mao. L'enseignant chargé de cette matière s'appelle Yang Changji. Son illustre élève le décrira comme un
idéaliste d'une grande intégrité qui « avait foi dans son
éthique et essayait d'insuffler à ses élèves le désir de devenir

des hommes justes, intègres, vertueux, utiles à la société ».
Né à Changsha en 1870, Yang avait étudié au Japon, en
Grande-Bretagne et en Allemagne entre 1902 et 1913. Il faisait ses premières armes d'enseignant à l'école de Mao. La
présence d'un homme de son calibre intellectuel dans une
école normale de province montre bien la magnitude du
séisme qui secouait alors la société chinoise.

Yang, qui a développé durant son séjour à l'étranger une
morale personnelle empruntant à l'idéalisme kantien et à
l'individualisme des philosophes britanniques, anime en
classe une riche réflexion sur l'éthique, qu'il illustre tantôt
à l'aide des *Analectes* de Confucius, tantôt à partir d'un
ouvrage du philosophe allemand Friedrich Paulsen, *System
der Ethik*, récemment traduit en chinois. Il examine les
problèmes moraux inhérents à l'hédonisme et à l'utilita-
risme, s'intéresse aux théories évolutionnistes qui com-
mencent alors à se répandre, remet en question des valeurs
aussi sacrées que la primauté de l'intérêt familial sur l'intérêt national, critique l'intense protection accordée par la
famille chinoise à ses membres en faisant valoir qu'elle
peut les empêcher de s'émanciper pleinement. Lorsque
Miyazaki Toten vient à Changsha, en mars 1917, il incite
vivement ses élèves à aller entendre la conférence du leader
socialiste japonais.

Yang ne saurait transformer Mao en philosophe — pas
plus que Yuan ne pourrait faire du jeune homme un lettré

—, mais il l'initie à une foule de concepts philosophiques et lui donne les outils nécessaires pour poursuivre sa réflexion. Un heureux hasard a préservé l'exemplaire du livre de Paulsen que Mao avait lu et annoté durant sa dernière année à l'école normale. Ces griffonnages prouvent qu'il lisait avec attention, parfois même avec émotion. On le sent fasciné d'apprendre que la réflexion morale naît de l'expérience vécue, donc que des sociétés différentes élaborent nécessairement des éthiques différentes. Il en déduit que « la sagesse accumulée par notre nation depuis deux millénaires serait le fruit d'un apprentissage inconscient ». D'autres commentaires marquent ses divergences de vues avec le philosophe allemand. À côté du paragraphe où Paulsen affirme que tous les êtres humains sans exception font passer leurs intérêts personnels avant ceux de leurs semblables, il écrit : « Cette explication me semble très incomplète. » Et en marge d'une phrase sur les gens « indifférents aux sentiments des autres… qui peuvent même prendre plaisir à les voir souffrir », il s'exclame : « À part des fous et des malades, des gens comme ça n'existent pas. »

Beaucoup de passages lui rappellent des textes de certains philosophes chinois ou les chroniques anciennes dont il raffolait ; d'autres lui inspirent des réflexions sur l'actualité locale — par exemple, l'indiscipline des troupes à Changsha — ou sur l'avenir de la république chinoise. Ici et là, Paulsen fait vibrer une corde sensible chez Mao, suscitant des réactions touchantes. Au beau chapitre où le philosophe décrit l'aspiration de tout être humain à inscrire sa vie dans l'histoire, «à former et créer, aimer et admirer, obéir et commander, combattre et gagner, versifier et rêver, réfléchir et chercher», Mao décerne un bref, mais éloquent «très bien fait». Cette science nouvelle lui pèse parfois un peu, comme le montre son commentaire sur l'omniprésence du mal: «Je rêvais d'un monde où tous les êtres humains seraient égaux en sagesse, d'une humanité éclairée qui n'aurait plus besoin de lois ou de règles, mais je vois maintenant que ce monde ne peut exister.»

Yang ne limite pas ses réflexions à la morale; il s'intéresse aussi au développement de la force physique, sous un angle qui touche une autre corde sensible chez Mao. Le maître oppose en effet la fragilité corporelle des lettrés chinois, qui les rend inaptes au combat et contraint l'armée à recruter «des vauriens sans éducation», à la forme physique des Japonais et des Occidentaux, fruit de la pratique assidue de sports comme le baseball, le soccer, l'escrime ou l'aviron, et d'un goût prononcé pour les excursions en pleine nature. Mao est tellement convaincu de la justesse de ce point de vue qu'il en vient à prôner un entraînement aussi rude que systématique, en tenue d'Adam ou presque, pour endurcir le corps et l'esprit. En 1915, peut-être même avant, il commence à faire de longues randonnées dans la campagne et les montagnes avec un petit groupe d'amis,

logeant chez l'habitant ou dans des temples isolés. Par affi-
che interposée, il invite les «hommes dignes de ce nom» à
partager ses entraînements. Au crépuscule, la petite troupe
pique une tête dans le fleuve Xiang ou l'un de ses affluents
pour se remettre des fatigues de la journée, puis on s'assoit
sur la rive et on discute longuement du sort de la Chine, du
sens de la culture occidentale, de l'urgence des réformes économiques ou du meilleur mode d'organisation sociale avant
de réintégrer la pension pour une nuit de repos bien méri-
tée. Mao ne perdra jamais le goût pour la baignade qu'il
acquit à cette époque. Il tenait la natation pour le meilleur
des exercices physiques et en fera souvent l'éloge à ses amis.

En avril 1917, un long article sur l'entraînement des différentes parties du corps et les bienfaits corporels et spi-
rituels de la culture physique paraît sous sa signature
dans *Nouvelle Jeunesse*. L'aide et l'appui de Yang ne sont
sans doute pas pour rien dans ce joli coup. Édité par un
remarquable groupe d'intellectuels, dont beaucoup de
professeurs de l'université de Beijing, ce mensuel pékinois
est en effet la publication de référence pour les tenants
des idées nouvelles. Sur sa lancée, Mao crée un cercle de
débats avec quelques amis et camarades partageant ses
opinions. En mai, fort de l'expérience acquise durant un
stage organisé par l'école, il monte avec d'autres élèves un
cours du soir pour ouvriers. Il s'agit d'initier les travailleurs à l'arithmétique, à la lecture et à l'écriture, mais

aussi de leur donner quelques notions d'histoire, de géographie, de «culture morale» et d'économie. Mao s'est réservé l'histoire. Un an plus tard, en avril 1918, la Nouvelle Société d'éducation populaire voit le jour à Changsha, toujours sous l'impulsion de Yang Changji. Mao fait partie des fondateurs.

Pendant toutes ces années, Mao et ses camarades ont souvent été invités chez Yang. Celui-ci a une fille prénommée Kaihui. Née en 1901, juste avant le départ de son père pour l'étranger, elle a fréquenté une école primaire locale où elle était la seule fille, puis un établissement réservé aux filles dont la directrice, une enseignante récemment rentrée du Japon, se passionnait pour les révolutions démocratiques et enfin, l'école pour filles n° 1 de Changsha. À son retour, en 1913, son père l'en a retirée pour lui enseigner lui-même le chinois et l'anglais. Yang était partisan de l'éducation et de l'émancipation des femmes. Un article rédigé en 1915 pour un ami éditeur d'un journal radical montre qu'il approuvait la coutume occidentale du libre choix du conjoint et revendiquait l'égalité des sexes devant la loi. Il prônait le mariage tardif, dénonçait les unions forcées, critiquait la pratique toujours vivace du concubinage dans les classes aisées. Mao croisait sans doute souvent chez lui celle qui deviendrait sa femme, mais rien ne permet de penser qu'il soit tombé amoureux d'elle, ou elle de lui, à cette époque.

En 1919, il semble bien plus attaché à l'une des jeunes, vives et radicales participantes aux réunions de la Nouvelle Société. Tao Yi a trois ans de moins que lui et est elle aussi originaire de la région de Xiangtan. Diplômée d'une école normale pour filles de Changsha, elle rêve de parfaire sa formation à Beijing, mais n'en a pas les moyens. Les leçons qu'elle donne ne lui rapportant pas assez pour vivre, elle fait de la cuisine, de la couture et du crochet pour joindre les deux bouts. Ses loisirs sont consacrés à l'étude de la psychologie, des théories de l'éducation et de l'anglais. Elle a souvent « cherché un partenaire d'étude », explique-t-elle à ses amis de la Nouvelle Société, mais ses tentatives n'ont jamais abouti. On sait que Mao et elle se sont fréquentés et ont correspondu, mais rien n'a transpiré sur le degré d'intimité de leur relation ; le climat de ferveur qui régnait à l'époque a fort bien pu les pousser à cultiver un amour platonique, basé sur l'amitié et un engagement moral durable. À défaut d'un aveu en bonne et due forme, on peut assez facilement deviner l'état d'esprit de Mao à partir d'un commentaire qu'il griffonne en 1918 en marge d'un énoncé particulièrement pessimiste de Paulsen : « L'homme naturel… annihilerait tout l'univers pour se sauver lui-même. » Outré, le jeune homme écrit une longue réfutation qui contient cet extrait : « Par exemple, puisque je ne peux abolir le sentiment que m'inspire celle que j'aime, je ferai tout pour la sauver, au

point de me sacrifier moi-même dans une situation déses-
pérée. »

Mao quitte l'école normale en juin 1918, son diplôme en
poche. Il a 24 ans. Cet été-là, Yang Changji se voit offrir un
poste de professeur à l'Université de Beijing, l'établissement d'enseignement supérieur le plus prestigieux du pays
et le creuset de l'agitation intellectuelle véhiculée par *Nouvelle Jeunesse* et les autres publications de même tendance.
Pareille promotion ne se refuse pas : il quitte donc Changsha
avec sa femme et sa fille. Resté sur place, Mao a le sentiment d'être à la dérive. Dans une lettre datée du 11 août 1918,
il avoue à un ancien condisciple que ses amis et lui sont en
quête de projets : l'avenir leur paraît « vide ». Quelques-uns
ont trouvé un poste d'enseignant dans la région, d'autres
songent à partir pour la France, attirés par un programme
qui leur permettrait de payer leurs études en travaillant
dans une usine. L'offre émane d'un groupe d'intellectuels
chinois de renom, parmi lesquels des anarchistes installés à
Paris, qui voient dans l'abolition de la propriété privée et
l'entraide le remède à tous les maux de la société. Cai
Yuanpei, traducteur du livre de Paulsen que Mao vient de
lire, fait partie des commanditaires ; il a récemment été
nommé recteur de l'Université de Beijing.

Les candidats retenus devront faire un stage de préparation linguistique et pratique à Beijing ou à Baoding, dans
le nord du pays. Dans un passage curieux de la lettre d'août

1918 déjà citée, Mao affirme qu'il peut « trouver les 200 yuans pour aller à Beijing et en France, mais pas les 100 yuans du voyage à Baoding ». Il n'explique pas pourquoi. Peut-être était-il plus facile de faire subventionner un voyage à l'étranger qu'un déplacement à l'intérieur du pays. Chose certaine, dans l'autobiographie orale recueillie en 1936 par le journaliste américain Edgar Snow, Mao fait preuve sur ce point précis d'une mémoire bien sélective (ou défaillante) : « Durant ma dernière année d'école, ma mère est morte, et j'ai été encore moins tenté de rentrer chez moi. J'ai décidé d'aller à Beijing cet été-là. Beaucoup d'étudiants du Hunan se préparaient à partir pour la France… [mais] je ne voulais pas aller en Europe. Je trouvais que je ne connaissais pas assez mon propre pays et que j'utiliserais mieux mon temps en restant en Chine. » En fait, la mère de Mao est mal portante — elle avale avec peine, et on craint un ulcère —, mais bien vivante en 1918. Une autre lettre de Mao datée d'août 1918 nous le confirme. S'adressant à ses « oncles maternels du septième et huitième degré », c'est-à-dire aux frères de sa mère membres du clan Wen, il exprime son désir de lui trouver un bon médecin, annonce qu'il a obtenu une « prescription spéciale » dont il attend beaucoup et mentionne en passant qu'il va faire avec quelques amis un voyage en bateau jusqu'à Beijing. « En touriste », précise-t-il. Il ne souffle pas mot de ses problèmes d'argent.

Demi-vérité ou pur mensonge? Quoi qu'il en soit, en août 1918, Mao prit congé de sa mère malade et, pour la première fois de sa vie, quitta sa province natale. À son arrivée à Beijing, il se précipita chez Yang Changji pour demander au tout nouveau professeur d'université de l'aider à trouver un emploi.

CHAPITRE 3

En quête d'un destin

L E PROFESSEUR YANG a trouvé à Mao une place de commis à la bibliothèque de son université. Le jeune homme y passe une grande partie de son temps à tenir le registre des lecteurs de journaux et de revues. Il se trouve tout à la fois au cœur et en marge de l'action. Le jeune directeur de la bibliothèque (il a quatre ans de plus que Mao), Li Dazhao, appartient en effet à l'un des cercles les plus brillants du pays : le comité de rédaction de *Nouvelle Jeunesse*. Il y côtoie cinq professeurs de l'Université de Beijing, des érudits aussi versés en histoire qu'en philosophie, en littérature qu'en musique. Ces fins lettrés ont étudié au Japon, en Europe ou aux États-Unis ; plusieurs ont obtenu une maîtrise ou un doctorat dans une université occidentale. Yang les connaît bien : il publiait dans les mêmes revues qu'eux avant la fondation de *Nouvelle Jeunesse*, en 1915. Fidèle lecteur de cette revue découverte durant ses études

à Changsha, Mao est encore loin d'appartenir au cercle des
initiés, même s'il croise régulièrement ses membres.

L'activisme des éditeurs de la revue — en 1918, ils mènent campagne en faveur d'une nouvelle simplification de
l'écriture chinoise — se déploie au centre physique et symbolique de la Chine nouvelle. Les bâtiments universitaires
sont situés au nord-est de la Cité interdite occupée par
l'empereur déchu « Henry » Puyi et sa maison, conformé-
ment aux clauses relativement douces du protocole d'abdi-
cation de 1912. Non loin de là s'élèvent le Parlement, les
ministères et le quartier diplomatique. Un petit parc public
a été aménagé au sud de la Cité, à Tienanmen, la porte de
la Paix céleste où vivaient auparavant des dignitaires de la
cour impériale. Les étudiants et les habitants de Beijing s'y
rassemblent chaque soir pour commenter une actualité
politique très mouvementée. Le président Yuan Shikai est
mort en 1916 sans avoir réussi à rétablir le régime impérial
à son profit. L'année suivante, une tentative pour restaurer
l'ancienne dynastie mandchoue s'est butée à une coalition
de généraux, Sun Yat-sen est rentré de son exil japonais
pour former à Canton un gouvernement voué à la sécession du sud-est de la Chine, et le nouveau premier ministre
a négocié avec la France et l'Angleterre l'envoi de cent mille
coolies en Europe. En échange de leurs services — charger
et décharger du matériel de guerre, assurer l'intendance
des bases arrière, récupérer les cadavres sur les champs de

bataille —, la Chine devait recouvrer les concessions arra-
chées par l'Allemagne aux derniers Qing. La corruption
des politiciens chinois et les manœuvres des Occidentaux
aboutirent en fait à un transfert territorial de l'Allemagne
au Japon. Toujours privé de la présence des députés du
Guomindang, le Parlement chinois n'exerçait aucun pouvoir réel, et toutes les voix y étaient à vendre.

Derrière son bureau à la bibliothèque, Mao voyait passer
beaucoup de membres influents de la nouvelle élite intellectuelle, et il devait se poser une foule de questions.
Collaborateur occasionnel et lecteur assidu de *Nouvelle
Jeunesse*, il n'a pas pu rater le long article de Li Dazhao sur
la naissance, la décadence et la régénération des nations, ni
son essai sur la victoire du bolchevisme, paru dans le numéro d'octobre 1918. Li y faisait l'éloge de l'ordre soviétique issu de la révolution de 1917 et examinait brièvement
les théories socio-économiques marxistes sur lequel il re-
posait. Démarche audacieuse, qu'à peu près personne
avant lui n'avait osé en Chine et qu'il poursuivra en fon-
dant la Société pour l'étude du marxisme, cercle de réflexion voué à l'étude des théories révolutionnaires. Mais
cette vague curiosité pour le marxisme n'est alors qu'une
goutte d'eau dans l'océan des questions débattues par les
éditeurs de la revue et les universitaires en général. Hu Shi,
un philosophe passé à la critique littéraire, publie à la
même époque dans la revue de son collègue Li Dazhao la

première analyse fouillée sur Ibsen et le féminisme parue en Chine, puis un long article sur l'émancipation des femmes en Amérique. (De deux ans plus âgé que Mao, Hu était titulaire d'un baccalauréat de l'Université Cornell et avait entamé une maîtrise à Columbia.) Dans les grandes facultés de Beijing et de Shanghai comme dans les petites universités provinciales, étudiants et professeurs jonglent avec la logique mathématique de Bertrand Russell, décortiquent la théorie de la relativité d'Einstein, s'intéressent aux méthodes de contraception de Margaret Sanger, revendiquent le communalisme pacifiste de Rabindranath Tagore, etc. De quoi donner le tournis à n'importe quel jeune cerveau!

C'est à cette époque que Mao tombe amoureux de Yang Kaihui, la fille de son ancien professeur. Elle a 18 ans, lui 25. Dans ses confidences à Edgar Snow, il évoque l'hiver 1919 avec un lyrisme inhabituel, peut-être parce qu'il revoit à travers ses yeux à elle les saules ployant « sous les cristaux de glace qui pendaient de leurs branches » dans les parcs et les jardins du vieux palais et « la blanche floraison des pruniers » autour d'un lac encore couvert de glace. L'amour, hélas, ne nourrit pas son homme : Mao n'a guère d'argent, et Beijing est une ville chère. À Changsha, il avait dépensé 160 dollars chinois en cinq ans. À Beijing, il a beau en gagner huit par mois, il doit s'entasser avec sept étudiants du Hunan dans trois chambrettes d'un quartier pauvre, faute d'auberge réservée aux habitants de sa région. Pire,

les intellectuels pékinois sont des snobs : « J'ai tenté d'engager la conversation avec eux sur des sujets politiques et
culturels, racontera-t-il, mais ils étaient trop occupés pour
écouter un commis de bibliothèque s'exprimant dans un
dialecte du sud. » Mao réussit seulement à se faire admettre
dans deux groupes d'étude, l'un sur la philosophie, l'autre
sur le journalisme, et à suivre quelques cours. Il est possible
aussi que Yang, opposé aux mariages précoces, ait trouvé sa
fille unique trop jeune pour faire l'objet d'une cour assidue. Quoi qu'il en soit, Mao n'est pas heureux à Beijing et
lorsqu'il reçoit une lettre lui annonçant une aggravation de
l'état de sa mère, il emprunte quelques sous à des amis et
prend le train pour Shanghai le 12 mars. Il y débarque le 14,
y passe une vingtaine de jours à attendre le départ pour la
France d'un groupe d'amis et d'anciens camarades de
classe, puis réemprunte de l'argent et remonte jusqu'à
Changsha. Le 6 avril, il arrive chez ses parents.

Retour du fils prodigue chez son père ? Aux siens, il dira
seulement qu'il était « employé par l'Université de Beijing »,
sans préciser ce qu'il faisait exactement dans la capitale.
Pour rester auprès de sa mère, il déniche un poste de professeur d'histoire dans une école élémentaire et secondaire
de Changsha. Il le gardera jusqu'en décembre 1919. Dans les
loisirs que lui laisse l'enseignement, il écrit. Son séjour
dans la fiévreuse capitale nationale a réveillé la passion pour
le journalisme que stigmatisait Yuan, son ancien professeur

de littérature classique. Puisqu'il ne peut pas vivre en direct
le Mouvement du 4 mai — le nom dérive des manifestations étudiantes qui eurent lieu ce jour-là à Beijing pour
protester contre le régime corrompu qui avait cédé aux
exigences japonaises soutenues par les Américains —, il
veillera à ce que les étudiants et citoyens de Changsha
soient bien informés. Entre le 14 juillet et le 4 août, il publie
quatre numéros de la *Revue du fleuve Xiang*, presque entièrement rédigés de sa main.

Le manifeste inséré dans le premier numéro reflète sans
doute assez bien ses opinions politiques du moment.
Chargé d'émotion, pétri de la rhétorique de Li Dazhao, il
brosse une vaste fresque de l'histoire et de la destinée
humaines. Un mouvement de « libération de l'humanité »
est en marche, proclame Mao en invitant ses concitoyens à
se défaire de tous les vieux préjugés, de toutes les peurs
anciennes — peur du Ciel, des esprits, des morts, des
bureaucrates, des seigneurs de la guerre, des capitalistes.
L'Ouest a ouvert la voie de l'« émancipation » ; la Renais-
sance et la Réforme y ont fait naître des gouvernements
représentatifs, élus au suffrage universel, qui ont créé la
Société des Nations. La « démocratie » — mot pour lequel
Mao propose quatre traductions possibles en chinois — est
au cœur de ce mouvement contre toutes les formes d'oppression : religieuse, littéraire, politique, sociale, éducative,
économique et intellectuelle. Ce combat ne doit toutefois

pas emprunter les armes de l'adversaire ; ce faisant, il s'autodétruirait. On doit plutôt considérer les oppresseurs « comme des êtres humains » dont les actes ne sont pas le résultat d'une volonté propre, mais celui d'une « infection ou maladie héréditaire transmise par l'ancienne société et l'ancienne forme de pensée ». La Chine aspire à une révolution qui apporte le pain, la liberté et l'égalité ; elle n'a nul besoin d'une « révolution par les bombes ou dans le sang ». Mao considère le Japon comme le pire des oppresseurs étrangers de son pays et préconise de le combattre par le boycott de ses marchandises et la grève des ouvriers et des étudiants. La réussite de ce programme passe par l'éducation des « masses populaires ». L'horizon de ces « gens simples, sans instruction », doit être repoussé bien au-delà des rives du fleuve Xiang, et leur esprit préparé à embrasser « la marée montante du monde… Ceux qui se laissent porter par le courant vivront ; ceux qui nagent à contre-courant mourront. » La première contribution de Mao à ce vaste programme prend la forme de 26 articles sur l'histoire de la Chine et du monde, qu'il fait imprimer en 2000 exemplaires. Ils se vendent tous dans la journée.

Les numéros suivants sont tirés à 5000 exemplaires. Mao y signe de brefs essais et un long manifeste intitulé « La grande union des masses populaires », qui occupe la majeure partie de chaque numéro. Il y propose aux forces qui doivent s'engager dans la lutte toute une série de modes d'organisation en marge des traditionnels syndicats ouvriers, agricoles et étudiants : groupes de femmes, d'instituteurs, de policiers, de tireurs de pousse-pousse… Pour conférer au mouvement une légitimité historique, il relate par le menu l'histoire des associations étudiantes du Hunan depuis l'époque des derniers Qing, prenant bien soin de rappeler l'importance des rencontres sportives comme lieu d'expression de la solidarité étudiante face à l'oppression. Le cinquième numéro, promet-il, sera consacré à « l'armée étudiante du Hunan ».

Dans tous ses textes, Mao a critiqué de manière implicite, voire explicite l'homme le plus puissant de sa province. Le général Zhang Jingyao incarne, il faut le dire, toutes les tares de la vieille société contre laquelle le jeune homme se rebelle. Comme bien d'autres, il a appris à se battre dans les rangs d'une troupe de bandits. Blanchi par un passage dans une école militaire, il s'est ensuite acoquiné avec une clique de politiciens influents du nord du pays. Ses contacts et l'autorité qu'il exerçait sur une troupe assez importante lui ont valu d'être nommé gouverneur du Hunan en 1918, au terme d'une guerre civile sauvage qui avait fait des dizaines de milliers de morts et laissé la province en ruine. Pour l'aider à administrer son fief, Zhang s'est adjoint ses trois frères, tout aussi corrompus et cruels que lui. Le thème du cinquième numéro passe les bornes de la provocation tolérable : Zhang envoie au pilon tous les exemplaires. Mao ne se laisse pas démonter. Il trouve un autre journal disposé à lui laisser carte blanche et pond un nouveau manifeste. Plus court que le précédent, le texte énumère les quatre objectifs qui guideront désormais la publication — critiquer la société, réformer la pensée, disséminer le nouveau savoir, débattre des problèmes — et promet qu'aucun pouvoir (Mao emploie le mot « authority » tiré de l'anglais qu'il s'efforce alors d'apprendre) ne réussira à bâillonner la rédaction. Mao se croyait peut-être à l'abri des représailles au *Nouveau Hunan*, l'organe de presse de Yale-in-China à Changsha. (Cette émanation de l'université américaine avait été fondée en 1900, après la guerre des Boxers, dans le but d'introduire les pratiques médicales occidentales en Chine.) Si tel est le cas, il se trompait : le vieux général interdit la publication après la parution du premier numéro.

Privé de journal, Mao met sa plume au service du *Dagongbao*, le plus grand quotidien de Changsha. Il rédige notamment une série de neuf articles sur une jeune fille appelée Zhao Wuzhen qui s'est suicidée dans son palanquin de cérémonie pour échapper à un mariage forcé. Ce reportage soulève beaucoup d'émoi ; Mao en profite pour exposer les thèses de Yang et de *Nouvelle Jeunesse* sur la réforme des coutumes matrimoniales, réclamant l'interdiction des « trucs minables » des entremetteurs et revendiquant au nom des femmes la liberté de choisir leur partenaire et de faire carrière.

Durant l'été et l'automne de 1919, Mao travaille aussi à mobiliser les élèves de la province contre Zhang Jingyao. La colère gronde dans les écoles depuis que le général a sabré dans le budget de l'éducation, gelé les salaires des enseignants et diminué leurs primes. Pour maintenir l'ordre, le gouverneur a fait tabasser les protestataires et a cantonné des troupes indisciplinées dans des bâtiments scolaires. Ces brimades s'ajoutent à une longue liste de crimes odieux : exactions contre les paysans, saisies bancaires, trafic d'opium, cession illégale à des capitalistes allemands et américains des droits d'exploitation des mines de plomb de la région, etc. En décembre, 13 000 élèves du secondaire entrent en grève à l'appel de Mao. La répression, impitoyable, oblige l'organisateur du mouvement à réévaluer sa situation. Sa mère est morte le 5 octobre ; lors de ses funérailles, le 8, il a prononcé un très tendre éloge funèbre. Aucune attache personnelle ne le retient désormais à Changsha (il est toujours célibataire). Au contraire : il est devenu une épine au flanc du vieux seigneur de la guerre. En décembre, il reprend la route de Beijing avec un triple objectif : revoir les Yang, se faire mieux connaître de Li Dazhao et des intellectuels qu'il admire, orchestrer une campagne nationale contre le général Zhang.

À son arrivée, il apprend que son ancien professeur est aux portes de la mort. Une maladie gastrique contractée durant l'été a provoqué un œdème généralisé et a complè-

tement détraqué le système digestif. Ni le séjour dans une
maison de convalescence au cœur des montagnes, ni les
soins experts prodigués à l'hôpital allemand de la capitale
n'ont pu enrayer la progression du mal. Pour ses collègues,
Yang s'est tué à la tâche : en plus d'assumer une pleine
charge d'enseignement à l'université, il traduisait deux
livres sur l'éthique occidentale et rédigeait des rapports
d'enquête sur l'éducation. Il expire à l'aube du 17 janvier 1920 ; le 22, quelques mois après avoir prononcé l'éloge
funèbre de sa mère, Mao signe celui de son mentor. Le
lendemain, son père meurt à Shaoshan.

Ses responsabilités familiales rappellent Mao au Hunan ;
son intérêt personnel le garde à Beijing. Ce deuil lui offre
en effet l'occasion de se rapprocher non seulement de la
mère et de la fille de Yang, mais surtout de l'homme qui
possède la clé de son avenir politique : Li Dazhao. Celui-ci
a transformé son groupe de réflexion sur le marxisme en
association structurée et a mis en chantier la traduction
du *Manifeste du Parti communiste* (Mao verra les extraits
achevés) et de certains ouvrages plus théoriques comme
celui de Karl Kautsky sur les doctrines économiques de
Marx. Mao retire de ces échanges une idée plus précise des
théories marxistes-socialistes, mais n'est pas pour autant
converti. Les lettres de cette époque qui nous sont parve-
nues nous le montrent caressant toutes sortes de projets,
dont un qu'il envisageait déjà en 1918 : la fondation d'une

ferme-école dans les verdoyantes collines de Yuelu, aux
alentours de Changsha. Élèves et enseignants y partage-
raient leur temps entre l'étude et les travaux des champs :
culture de légumes, de fruits, de fleurs, du riz, du coton, du
mûrier ; élevage de poissons et de volaille. (Mao tient ce
travail manuel pour « sacré », mais tolérerait que les élèves
qui le trouveraient « trop pénible » soient aidés par des
ouvriers agricoles.) S'il s'avérait impossible de marier
l'étude et l'agriculture, il se rabattrait sur une « université
d'autoformation », communauté d'autodidactes appli-
quant les principes communistes. Elle s'autofinancerait en
donnant des leçons, en éditant des livres et en publiant
des articles et des essais ; pour réduire ses charges, elle
ferait elle-même sa cuisine et sa blanchisserie. Tous les
revenus seraient communs dans cette « société d'entraide
pour le travail et l'étude ». Un « symposium académique »
se réunirait deux ou trois fois par semaine pour élaborer
les thèmes de la réflexion collective. Au terme de deux ou
trois années de ce régime, étudiants et enseignants seraient sans doute mûrs pour un voyage en Russie, que
Mao considère désormais comme « le premier pays civi-
lisé du monde ».

En un mot comme en mille, Mao cherche sa voie. Dans
une lettre adressée en mars 1920 à un ami qui vient de
perdre sa mère, il évoque « ces gens comme nous qui ne
vivent plus sous le toit familial et sont incapables de veiller

sur leurs parents». À son amie Tao Yi, enseignante à Changsha et toujours dévorée de l'envie de monter à Beijing, il confie par lettre son ambition de partir pour la Russie et révèle le moyen qu'il a imaginé pour y parvenir : dès que le Hunan aura retrouvé la paix, il fondera à Changsha une «Société d'étude libre» qui devra «maîtriser les rudiments de tous les savoirs, l'ancien et le moderne, le chinois et l'étranger». Ensuite, il constituera une équipe de travail et d'étude avec laquelle il se rendra en Russie. Il assure Tao Yi que les femmes «seront particulièrement bien accueillies par leurs camarades russes», précisant qu'il a «consulté» Li Dazhao là-dessus. Il avoue toutefois qu'il aurait plusieurs excellentes raisons de ne pas partir. D'une part, comme une traduction se lit beaucoup plus rapidement qu'un original, on apprend plus vite en Chine qu'à l'étranger. D'autre part, la «civilisation orientale constitue la moitié de la civilisation mondiale» et, selon Mao, elle peut être assimilée à la civilisation chinoise. Pourquoi aller voir ailleurs, en effet !

Quand Mao quitte Beijing, le 11 avril, c'est pour Shanghai. Le voyage dure 25 jours, car il s'arrête en route à la montagne sacrée de Taishan et à Qufu, lieu de naissance de Confucius. Arrivé à destination, il est hébergé par trois autres participants au soulèvement raté contre le général Zhang. Tous veulent partir pour la Russie. De plus en plus tenté, Mao essaie en juin de dénicher un tuteur russe, mais sans succès. En parallèle, il apprend l'anglais « en lisant une leçon par jour dans un manuel pour débutants ». Il entend s'instruire lui-même : « J'ai toujours haï l'école, et je n'y remettrai plus les pieds. » Bergson, Russell et Dewey alimentent sa réflexion philosophique. Il trouve aussi le temps et l'occasion de rencontrer le professeur Chen Duxiu, l'un des meneurs du Mouvement du 4 mai et le commanditaire de la traduction fraîchement achevée du *Manifeste du Parti communiste*.

Cette période de flottement prend fin subitement lorsqu'une coalition de chefs politiques et militaires attaque Changsha et renverse le général honni. Le nouveau pouvoir confie la direction de l'école normale de la ville à un ancien professeur de Mao. L'homme a d'excellents contacts politiques : il s'en sert pour faire nommer son ex-élève directeur de l'école primaire relevant de son établissement. Le 7 juillet, Mao est de retour à Changsha, titulaire d'un emploi respectable et bien décidé à peser sur le cours des événements. Le 31, il annonce à la presse locale la création d'une association qui doit concrétiser une partie des rêves qu'il caressait ces dernières années : la « Société du livre culturel ».

Le communiqué commence sur le ton du badinage : comment peut-on penser que la « nouvelle culture » existe au Hunan ? Des 30 millions d'habitants de la province, seule une poignée a fréquenté l'école. Parmi ces rares ins-

truits, quelques-uns seulement sont capables de lire. Et à
l'intérieur de ce tout petit cercle, combien savent ce qu'est
la «nouvelle culture»? Pour s'en targuer, il ne suffit pas
d'avoir «lu ou entendu quelques mots nouveaux». Du
reste, il n'y a pas que le Hunan pour tout ignorer de la
nouvelle culture; la plupart des pays du monde sont aussi
arriérés. Suit une phrase qui révèle où Mao veut en venir:
«Un bouton de nouvelle culture a fleuri en Russie, sur les
rives de l'océan Arctique.» La nouvelle Société entend
transplanter cette fleur au Hunan. Elle commencera par
ouvrir une librairie, qu'elle complétera d'ici peu par un
centre de recherches, une maison d'édition et une imprimerie. L'émergence de la nouvelle culture au Hunan passera donc par les livres. La conclusion du communiqué
souligne le caractère non capitaliste de cette entreprise fondée par «quelques personnes qui se comprennent et se
font parfaitement confiance». Ces investisseurs se sont
engagés à ne jamais retirer leur capital. Aucun dividende ne
leur sera versé. Personne ne retirera le moindre profit de
l'entreprise si elle réussit; si elle échoue, «s'il ne reste pas
un sou dans la caisse, nous ne nous ferons pas de repro-
ches. Nous serons heureux de savoir que, pendant un
temps, il y a eu à Changsha une entreprise en propriété
collective appelée "Société culturelle".»

Mao fait partie des actionnaires fondateurs identifiés dans
le premier rapport diffusé par la Société, le 22 octobre 1920.

D'où a-t-il tiré cet argent ? A-t-il touché sa part du patrimoine foncier et des liquidités dégagées par le commerce de son père ? Cela expliquerait pourquoi il a pu vivre à Beijing et aller en train à Shanghai sans éprouver les problèmes d'argent dont il se plaignait l'année précédente. Par ailleurs, s'il gère bénévolement la librairie de la Société, il touche un salaire comme directeur d'école. Enfin, il milite avec passion en faveur de l'indépendance du Hunan, cause qui séduit le gouverneur Tan Yankai et beaucoup d'hommes d'affaires locaux. Il possède donc des appuis d'un extrême à l'autre du spectre politique ; parmi les « garants » qui persuaderont les distributeurs de livres et de revues de la ville de dispenser la Société du dépôt de sûreté habituel, on trouve aussi bien des hommes d'affaires influents que le leader marxiste Li Dazhao.

L'adresse de la librairie n'est pas moins surprenante que la liste de ses parrains. Le conseil d'administration avait envisagé de l'installer dans un bâtiment appartenant à un Chinois ou dans le centre éducatif municipal, mais c'est à l'école de médecine fondée à Changsha par la mission Yale en Chine qu'on a fini par louer un local. Le premier rapport du conseil mentionne explicitement ce bail, dont le garant est une personnalité en vue du monde culturel et éducatif de la province. Il fait partie des actionnaires fondateurs, comme d'ailleurs Tao Yi, l'amie de Mao (elle a investi une somme de dix dollars dont elle avait sûrement grand besoin pour elle-même). La structure et le fonctionnement inusités de l'entreprise ne l'empêchent pas d'être bien gérée. Les premiers états financiers préparés par Mao — l'insistance de son père à lui faire apprendre la comptabilité aura servi à quelque chose ! — font état d'un chiffre d'affaires de 136 dollars chinois sur la vente de *Nouvelle Jeunesse* et d'auteurs comme Bertrand Russell, Hu Shi et Kropotkine, alors que les dépenses totalisent seulement 101 dollars, loyer et frais d'établissement compris. Cet excédent de 35 dollars représente plus de 30 pour cent de marge bénéficiaire.

Bien établi comme homme d'affaires, libraire et directeur d'école, Mao peut commencer à songer à son avenir personnel. Tao Yi a largement prouvé sa générosité et son indépendance d'esprit, mais Yang Kaihui, revenue elle aussi à Changsha, s'est déjà taillé une réputation de pionnière dans les cercles qui s'intéressent à l'éducation des femmes. En outre, elle possède d'excellents contacts personnels. Aux funérailles de Yang, en janvier, une pétition — signée entre autres par Mao — avait circulé dans le public, sollicitant des dons pour la jeune femme et son frère, que la mort de leur père laissait «démunis». En réalité, il possédait des terres dans la région de Changsha. La pétition précisait d'ailleurs que l'argent servirait «soit à constituer un pécule, soit à financer une entreprise». Bref, ni Mao ni Yang Kaihui ne sont pauvres, et ils ont manifestement beaucoup de choses en commun. Fin 1920, ils emménagent ensemble.

CHAPITRE 4

Membre du Parti

L A PREMIÈRE ANALYSE un peu étoffée de l'action de Lénine que nous trouvons dans les écrits de Mao date de septembre 1920. Le contexte est passablement incongru : un essai sur l'indépendance du Hunan, que Mao défendait alors ardemment. Il commence par une attaque en règle contre l'État chinois, géant aux pieds d'argile : « Solide au sommet, creux à la base ; noble en apparence, insensé et corrompu en réalité. » Il n'est que de voir l'échec ridicule de la pseudo-république chinoise pour s'en convaincre. Les régimes politiques sains naissent d'un système social cohérent. Et ce genre de système ne peut apparaître que dans des « petites localités » au sein desquelles l'action civique est l'affaire de chaque citoyen. Cette évolution doit être volontaire : « Essayer d'édifier un tel système par la force ne marchera jamais. » Revenant sur les discussions auxquelles il a participé à Beijing, Mao critique ensuite la valeur de l'exemple soviétique. On a voulu voir dans le succès de Lénine la preuve que les organisations politiques pouvaient conduire le changement social et les forces collectives, transformer l'individu, note-t-il, mais le cas est trop particulier pour qu'on l'applique sans nuance à la Chine. En premier lieu, Lénine pouvait compter sur « des millions de partisans » pour accomplir « cette révolution populaire sans précédent qui a balayé d'un coup les partis réactionnaires et emporté les classes moyennes et supérieures de la société ». Son idéologie — le bolchevisme — était mûrement réfléchie, et il avait bâti « un parti de masse efficace » qui exécutait ses ordres « avec la fluidité de l'eau courante ». Enfin, les paysans russes avaient répondu à son appel. Si « une révolution aussi générale et complète » éclatait en Chine, conclut Mao, il l'appuierait, mais elle n'est pas possible dans la conjoncture actuelle, et c'est pourquoi il veut essayer de faire du Hunan une république « qui brille comme le soleil levant ».

La conjoncture n'est malheureusement pas plus favorable à la fédération de provinces dont il rêve. D'une part, le Hunan est profondément divisé ; quelques mois après le retour de Mao à Changsha, les conflits entre seigneurs de la guerre ont repris de plus belle. La province fera sécession en novembre 1920 et proclamera une constitution accordant, entre autres, les pleins droits civiques aux femmes, mais son assemblée ne sera jamais totalement souveraine.

D'autre part, il y a la pression de l'Union soviétique. En mars 1919, Lénine a convoqué une Troisième Internationale communiste pour combler le vide laissé par la désintégration de la deuxième pendant la Première Guerre mondiale. Ce « Komintern » doit prolonger l'action du Parti communiste soviétique à l'extérieur, y propager le ferment révolutionnaire qui défendra non seulement le prolétariat du monde entier, mais aussi l'Union soviétique contre ses ennemis. Au printemps de 1920, ses premiers agents (dont un émigré chinois élevé en Sibérie, qui servait d'interprète) sont arrivés en Chine avec le mandat d'y accélérer la formation d'un parti communiste. Ils ont très vite identifié les têtes pensantes du mouvement marxiste local : Li Dazhao et Chen Duxiu, les éditeurs de *Nouvelle Jeunesse*. Après avoir vu Li à Beijing, ils ont rendu visite à Chen à Shanghai. Mao ne les a pas rencontrés. Il n'a pas participé non plus à la création du premier « petit groupe » communiste du pays, ayant déjà quitté Shanghai en août 1920, mais il avait fait une si forte impression sur les chefs radicaux qu'ils ont inscrit Changsha dans la liste des six agglomérations où le mouvement tentera de s'implanter à court terme (les autres sont Beijing, Wuhan, Jinan au Shandong et Canton).

En novembre 1920, le groupe de Shanghai diffuse un court manifeste ; il est peu probable que Mao en ait eu connaissance à ce moment-là. Les nombreuses lettres qu'il adresse alors à ses amis un peu partout en Chine et en France nous le montrent complètement absorbé par l'enseignement, la gestion de la Nouvelle Société d'éducation populaire et de la Société du livre culturel, la mise sur pied d'un club de location de livres et la coordination du mouvement indépendantiste hunanais. Pas un mot sur le manifeste communiste dans sa correspondance de novembre : aurait-il omis d'en parler s'il l'avait lu, *a fortiori* s'il avait participé à sa rédaction ? À une condisciple séjournant en France, il confie que les Hunanais ne lui paraissent pas très ouverts au changement, mais conclut avec philosophie : « Enseigner est mon métier, et je suis décidé à passer deux ans au Hunan. » En parallèle, il réfléchit sur sa relation avec Yang Kaihui, qu'il voudrait dépouiller de toutes les conventions et contraintes attachées à ce qu'il appelle, dans une lettre d'une étonnante franchise, le « mariage capitaliste » conjuguant la peur et le « viol légalisé ». Il aspire à quelque chose de plus haut, écrit-il à un autre ami le 26 novembre : une union basée sur « la chose la plus raisonnable qui soit, l'amour libre ». Et il ajoute : « J'ai dit il y a déjà longtemps que je ne ferais pas partie de cette bande de violeurs. Si tu n'es pas d'accord, je te prie de mettre tes arguments par écrit. »

Conséquence de ses origines soviétiques ? Le manifeste du 20 novembre est bourré de clichés et totalement abstrait : on n'y trouve pas la plus petite référence aux réalités chinoises. Les idéaux du Parti sont «la propriété et l'exploitation collectives et sociales des moyens de production», l'abolition de l'État et la formation d'une société sans classes. But ultime, abolir le capitalisme par la lutte des classes; objectif immédiat, consolider les forces anticapitalistes en organisant les groupes qui participent au combat. Ouvriers, paysans, soldats, marins et étudiants constituent les principales cibles de cet effort de mobilisation. Une «fédération générale des associations industrielles» conduira le mouvement de grève générale qui renversera le capitalisme et proclamera la dictature du prolétariat. Celui-ci prendra alors la tête du combat contre «les forces résiduelles du capitalisme».

Langage très flou pour un sujet brûlant. Nous savons qu'avant même d'avoir lu ce pamphlet Mao débattait des moyens à prendre pour faire la révolution avec quelques amis de Changsha installés en France. Dans deux longues lettres datées, l'une du 1er décembre 1920, l'autre du 21 janvier 1921, il dissèque les deux projets antagonistes de cette petite communauté d'émigrés. Une faction prônait d'établir par la violence la dictature du prolétariat, arguant que l'anarchisme serait toujours impuissant contre les forces de la réaction et qu'on avait besoin d'un parti communiste fort pour lancer, promouvoir, mener et organiser le mouvement révolutionnaire. L'autre réclamait une «révolution modérée» de type évolutif, impulsée par l'éducation, axée sur l'amélioration des conditions de vie et réalisée par des organisations syndicales et coopératives. La position de Mao ? « Je comprends très bien qu'on privilégie les moyens pacifiques, mais je ne pense pas qu'ils marchent. » Présent à la conférence donnée par Bertrand Russell à Changsha le 1er novembre 1920, il avait entendu le plaidoyer du philosophe pour le communisme, mais contre « la guerre et les révolutions sanglantes » ; au terme d'âpres débats avec ses amis, il avait décidé que l'idée était « magnifique en théorie, mais inapplicable en pratique ». Une révolution à la russe n'était envisageable qu'« en dernier recours », mais peut-être en était-on rendu là, justement.

Le dilemme resurgissait souvent aux réunions de la Nouvelle Société d'éducation populaire. La plupart des membres de l'association provenaient des milieux de l'éducation. Parmi les plus assidus aux réunions de décembre 1920, Mao, toujours méticuleux, recense trois enseignants d'une école pour filles, trois membres du comité de rédaction du *Journal du peuple* édité par l'association Livres et documents populaires, deux instituteurs, deux employés de la Société du livre culturel, six collégiens, un étudiant en médecine de l'école Yale-Hunan et un autodidacte. Plus lui-même. Pas un ouvrier, paysan ou artisan dans le lot. Mao trouve que le groupe dans son ensemble manque de maturité et fait preuve « d'infantilisme dans ses propos et attitudes » ; certains de ses membres s'enflamment trop

facilement pour n'importe quelle cause. Il n'est pas tellement plus tendre pour lui-même. En janvier 1921, il se
plaint à un ami de la « mollesse » de sa volonté : « Je ne
peux pas m'empêcher d'argumenter, si bien que tout le
monde me déteste. » Le même mois, lors d'une longue
réunion de la Société du livre culturel, un vote pris à l'ins-
tigation de Mao produit dix voix (dont celles de Mao et
Tao Yi) en faveur du bolchevisme, une pour le communisme à la Bertrand Russell et deux pour la démocratie
parlementaire. Tao Yi réclame que les ressources disponi-
bles soient consacrées à la préparation idéologique des
soldats plutôt qu'à l'éducation populaire. Le nom de Yang
Kaihui n'apparaît pas dans la liste des présents.

Lénine n'a pas attendu le retour de la première mission
du Komintern en Chine pour convoquer le deuxième congrès de l'Internationale. Très divisée sur les chances de la
révolution dans ce pays et les formes d'organisation qu'il
conviendrait d'y appliquer, l'assemblée s'est finalement
résolue à confier au communiste néerlandais Sneevliet
(pseudonyme : Maring) une mission d'enquête à Shanghai
et ailleurs en Asie. Prise en août 1920, la décision ne sera
exécutée qu'en avril 1921 pour diverses raisons d'ordre logistique. Les instructions remises à Maring sont confuses,
contradictoires même. La ligne du Komintern lui prescrit
d'inciter les communistes chinois à *s'allier* avec la bourgeoisie pour provoquer une révolution nationale, mais il

doit en même temps préserver les chances de développement d'une organisation prolétarienne assez puissante pour *renverser* le régime bourgeois. On lui a remis 4000 livres sterling pour couvrir ses frais. Il en a dépensé la moitié avant même son départ pour payer le voyage à sa femme et régler des dettes politiques; 600 livres ont été englouties dans une faillite bancaire. Il devra donc se débrouiller avec seulement 1400 livres pour accomplir sa mission. En avril 1921, il prend à Berlin un train pour Vienne, y fait halte le temps d'obtenir son visa pour la Chine, puis gagne Venise où il s'embarque à destination de Shanghai.

Il arrive le 3 juin, prend pension chez une résidente russe de la concession internationale et contacte un représentant du Komintern parti d'Irkoutsk, un certain Nikolski. La suite de l'histoire est mal connue: on sait que Maring trouva les groupes de Shanghai et Beijing en train d'organiser une conférence communiste, et que des invitations furent adressées aux camarades des quatre autres villes où les communistes avaient un embryon de section, ainsi qu'à un communiste qui vivait au Japon et à un sympathisant de Hong Kong. Après plusieurs reports et contretemps, 15 délégués (13 Chinois et les deux agents du Komintern) se réunirent à Shanghai le 23 juillet 1921: ce premier congrès du Parti communiste chinois représentait exactement 53 membres inscrits à un titre ou un autre.

Mao était l'un des deux délégués de Changsha. À quoi doit-il ce mandat qui comptera tellement dans la suite de sa carrière? On n'en sait trop rien. Il avait l'avantage de bien connaître les deux fondateurs du Parti, Li Dazhao et Chen Duxiu, d'avoir fait sa marque dans les milieux de l'éducation de Changsha, d'être un familier de la famille Yang et d'être appuyé par un certain nombre de Hunanais influents. Par contre, il n'avait qu'un mince vernis de culture socialiste: la «conception matérialiste de l'histoire» apparaît pour la première fois sous sa plume en janvier 1921. Ce sont ses amis émigrés en France qui ont piqué sa curiosité — quelques-uns font partie des Jeunesses communistes — et aussi la lecture du mensuel *Le Communiste*. Édité par Li Da avec l'aide du groupe de Shanghai, ce journal clandestin du Parti paraîtra sept fois entre novembre 1920 et juillet 1921. Mao admirait ses «positions tranchées», mais si les registres qui nous sont parvenus disent toute la vérité, il ne le vendait pas à la Librairie culturelle. Le prolétariat était pour Mao un monde inconnu qu'il songeait vaguement à explorer en s'embauchant dans un chantier naval ou une usine, ou encore en «apprenant un métier manuel comme le tricot ou la boulangerie», sans pour autant envisager de renoncer à l'enseignement ni, sans doute, au journalisme.

En fait, ce qui distingue Mao, c'est un prodigieux talent d'organisateur. Les résultats de sa librairie en témoignent.

Du début de septembre 1920 à la fin de mars 1921, elle a encaissé 4049 dollars chinois et en a dépensé 3942. Elle a considérablement enrichi son catalogue et a ouvert sept succursales régionales (Mao veut en avoir une dans chacun des 75 cantons du Hunan), quatre boutiques scolaires et trois dépôts chez des particuliers. Son siège est toujours installé dans le bâtiment de Yale-Hunan, mais la place y manque tellement que Mao cherche des locaux plus grands au centre-ville. Il s'intitule, assez curieusement, « négociateur spécial » de la librairie, laissant le titre de gérant à un ami de Xiangtan. À ce don d'organisation, il ajoute une surabondante énergie, une grande capacité d'initiative, beaucoup de courage. De la séduction, aussi : silhouette haute et svelte, grands yeux mélancoliques, épaisse chevelure rejetée en arrière, tel nous le révèlent quelques photos de lui datant de cette époque. Enfin, il a, semble-t-il, un formidable esprit de repartie. Peut-être les intellectuels policés et subtils de Beijing et de Shanghai trouvaient-ils rafraîchissantes les manières drues de ce garçon de la campagne hunanaise.

Le congrès de fondation du Parti communiste chinois se déroule dans un climat tendu. Maring hérisse le poil des camarades chinois : ses propositions doctrinaires — notamment l'alliance tactique avec la bourgeoisie — sont mal reçues ; deux délégués refusent catégoriquement de lui rendre compte de leur travail. Li Dazhao et Chen Duxiu brillent par leur absence. Le 30 juillet, un inconnu surgit dans la résidence privée où se tiennent les séances, avec pour toute excuse une erreur d'adresse. Maring, qui a l'expérience des rencontres clandestines, fait décamper tout le monde juste avant la descente de police. Les Chinois tireront profit de l'incident pour l'écarter, lui et Nikolski, en prétextant que la présence de deux Occidentaux attire par trop l'attention sur leur petite compagnie. Le congrès se conclura sans eux dans une péniche ancrée sur le lac Zhejiang.

Les actes de ce congrès n'ayant jamais été publiés, même pour distribution interne, on ne sait pas ce que Mao a dit ou fait. Un bref compte rendu a été retrouvé dans les archives du Komintern, mais son auteur reste inconnu, et sa fiabilité incertaine. Il semble que chaque section ait fait rapport de ses activités et que toutes aient insisté sur la faiblesse de leur effectif et l'urgence de recruter. Maring aurait expliqué le travail qu'il avait accompli en Indonésie et exhorté l'assistance à développer le mouvement ouvrier chinois. Nikolski aurait parlé du secrétariat pour l'Extrême-Orient implanté par le Komintern à Irkoutsk et de la situation en Union soviétique.

Les débats auraient porté principalement sur la stratégie à suivre: rupture complète avec la société bourgeoise ou poursuite du travail clandestin derrière un paravent légal ? Il fallait en tout cas amener les travailleurs à « élargir leurs horizons » et à « lutter pour la liberté de presse et de réunion », car la libre propagation des théories communistes était un préalable incontournable à la victoire finale, même s'il était « futile d'espérer bâtir une société nouvelle au sein de l'ancienne ». La classe ouvrière se libérerait elle-même ; personne ne pourrait « la forcer à faire la révolution ». La dernière séance, tenue en l'absence des étrangers, aurait été consacrée à débattre du sens exact de « l'alliance du prolétariat avec d'autres partis ou factions » et du danger représenté par les seigneurs de la guerre. Au terme d'une discussion « brève, mais vive », on aurait résolu de concentrer les efforts sur l'organisation des ouvriers. Le travail auprès de la paysannerie et de l'armée devrait attendre que le Parti ait étoffé ses rangs, notamment au sein de la classe ouvrière.

Le « programme » sur lequel tous les délégués se seraient finalement entendus stipulait le renversement du régime capitaliste en Chine et son remplacement par une société sans classes. Tous les moyens de production — machines, terres, bâtiments — deviendraient la propriété du peuple. Les femmes pourraient adhérer au Parti ; les étrangers aussi. Les candidats devraient seulement trouver un parrain parmi les membres en règle. La vérification de leurs antécédents ne pourrait pas durer plus de deux mois. Mots d'ordre et listes de membres devraient rester secrets. Un groupe comptant au moins cinq membres pourrait se constituer en soviet, et les soviets de plus de 30 membres auraient le droit d'élire un comité exécutif. Le comité central s'occuperait des finances, des orientations politiques et des publications. Chen Duxiu en serait le secrétaire général.

Au début d'août, Mao est de retour à Changsha avec mandat de développer l'effectif du Parti dans sa province. La solution qu'il choisit est dans le droit fil de ses expériences antérieures : il fonde le 16 août une « université d'auto-formation » qui ressemble superficiellement aux académies confucéennes de l'ancien régime impérial ; elle se réunit d'ailleurs dans les locaux d'une académie fondée à Changsha par les derniers Qing pour diffuser les thèses d'un opposant à la conquête mandchoue de 1644. Cette couverture lui est offerte par l'autre délégué du Hunan au congrès, He Shuheng, un intellectuel de 51 ans que le gouvernement provincial a nommé directeur de l'académie et pourvu d'une allocation mensuelle de fonctionnement de 400 dollars chinois. Dans son annonce, Mao explique que son université rompra avec « le conformisme mécanique des méthodes d'enseignement » usuelles et constituera une communauté parfaitement « démocratique », accessible à toutes les bourses et vouée à « fracasser le mystère du savoir ». Des « correspondants » tiendront les étudiants au courant des progrès de la pensée dans le monde (sont mentionnées des villes comme New York, Londres, Paris,

Moscou et Tokyo) et dans les écoles du Hunan. Comme le marxisme n'y est pas officiellement enseigné, l'université offre un excellent paravent aux activités de recrutement et de sélection du Parti. Une fois inscrits, les élèves se voient proposer des cours sur la théorie marxiste-léniniste. Une campagne d'alphabétisation parrainée par le YMCA sera exploitée de la même façon pour capter un bon millier d'adeptes potentiels à Changsha.

En novembre, le comité central demande au district de Changsha d'introniser au moins 20 nouveaux « camarades » afin de pouvoir former un comité exécutif. La section doit aussi contribuer au recrutement de 2000 jeunes socialistes. (C'est probablement à ce moment-là que Yang Kaihui fait son entrée officielle au Parti.) Enfin, elle reçoit ordre de « prendre en main plus d'une organisation syndicale » et de nouer « des liens solides » avec les autres. La direction du Parti espère ainsi jeter dans chaque district les bases d'un mouvement national des travailleurs du rail. Deux mois auparavant, anticipant ces décisions, Mao a joué les touristes au Jianxi voisin afin d'inspecter discrètement la gigantesque mine de charbon d'Anyuan ; il a poussé le zèle jusqu'à descendre au fond.

En militant discipliné, Mao fait dès novembre un vibrant éloge public de l'association des travailleurs de Changsha et de la grève qu'elle a menée au mois d'avril précédent, bien que le mouvement soit sous la coupe des anarchistes hunanais et qu'il n'y ait jamais été mêlé. C'est que le virage stratégique du Parti l'oblige à courtiser cette organisation bien implantée dans les industries de la région : elle a des affiliés dans les filatures, les fonderies, le bâtiment, chez les ouvriers de la Monnaie, les tailleurs, les coiffeurs, les mécaniciens, les cheminots… En janvier 1922, elle lancera une grande grève contre une filature de Changsha ; le gouverneur militaire — l'homme sous le commandement duquel Mao avait servi en 1912 après le meurtre des deux chefs révolutionnaires issus des sociétés secrètes — fera tirer à la mitrailleuse sur les grévistes et décapiter deux leaders étudiants soupçonnés de les avoir appuyés.

Le champ d'activité de Mao s'élargit très rapidement. Son travail d'organisation et l'exécution des instructions plus ou moins contradictoires du Parti lui laissent bien peu de temps pour Kaihui ; assez tout de même pour lui faire un enfant. Ils se considèrent dès lors comme mari et femme même si aucune cérémonie n'a officialisé leur union. Leur premierné, Anying, voit le jour en octobre 1922. Mais la nouveauté la plus étonnante de cette période si fertile en changements concerne la psychologie de Mao. À 28 ans, cet homme qui combat depuis l'enfance tout ce qui pourrait entraver sa liberté — l'autocratie paternelle, la discipline scolaire, le mariage bourgeois — se soumet de bon gré à une règle bien plus rude que toutes celles qu'on a essayé de lui imposer jusqu'alors : la discipline du Parti communiste.

CHAPITRE 5

Ouvriers et paysans

AU DÉBUT DE 1921, L'ACTION POLITIQUE de Mao se limite à présider des assemblées d'éducateurs et d'étudiants qui débattent de thèmes sans conséquence : faut-il créer une cantine ouvrière ? Doit-on réformer la Chine ou la Chine *et* le monde ? À la fin de 1922, il est capable d'organiser des grèves impliquant des dizaines de milliers d'ouvriers. L'activiste dilettante est devenu un agitateur professionnel. Il a frappé son premier grand coup dans l'industrie du bâtiment, un secteur où la tradition corporative est encore très vivace. Profitant d'un chantier dans les locaux prêtés à son université d'autoformation, il s'est lié avec quelques charpentiers et leur a soutiré des renseignements sur leurs conditions de travail et leurs échelles de salaire ; mieux, il a recruté un artisan qui s'est avéré un remarquable meneur d'hommes et un excellent organisateur. Dirigé en sous-main par le « secrétaire du Bureau hunanais de l'Organisation chinoise du travail » — titre ron-flant fabriqué pour Mao par la direction du Parti —, celui-ci a orchestré en septembre et en octobre 1922 une série d'actions et d'arrêts de travail qui ont persuadé les patrons de majorer de manière substantielle le salaire horaire. En novembre, l'agitation a repris dans l'imprimerie sous l'im-pulsion d'une série d'associations professionnelles — litho-graphes, opérateurs de presse, imprimeurs, typographes — issues d'une branche d'un syndicat fondé en 1920. Les patrons ont invité Mao à agir comme médiateur, signe qu'on percevait déjà son influence, mais pas encore son radicalisme. Grâce à la solidarité sans faille des grévistes, il a négocié un accord qui leur donnait satisfaction à presque tous les points de vue. Début 1923, dans un de ces minutieux états des lieux qui le caractérisent, il recense au Hunan 23 grandes organisations syndicales regroupant 30 000 membres, et leur attribue dix grèves ayant mobilisé 22 500 travailleurs ; neuf se sont soldées par une victoire complète ou partielle. La liste comprend, outre les travailleurs de l'im-primerie et du bâtiment, ceux des chemins de fer, les mineurs de charbon, de zinc et de plomb, les conducteurs de machines-outils, les ouvriers de la Monnaie, de la confection et de la soierie, les électriciens, les coiffeurs, les cordonniers et bottiers, les tireurs de pousse-pousse. Mao a directement participé à la planification stratégique de plusieurs de ces grèves, qui ont été dirigées par d'anciens camarades de classe revenus de leur stage de travail et d'étude en France (certains y sont devenus membres des Jeunesses communistes ou du Parti). Ses deux frères cadets sont également engagés dans le mouvement ouvrier, l'un dans les charbonnages, l'autre dans les mines de plomb. Quant à Kaihui, sa première grossesse ne l'a pas empêchée de faire des tournées dans les campagnes proches des mines paralysées par la grève pour promouvoir la cause des femmes et celle de l'éducation. Le bilan est impressionnant. Absorbé par le vaste débat sur l'alliance avec les nationalistes qu'exigeait Maring au nom du Komintern, le Parti n'a pas prêté beaucoup d'attention à cette poussée d'activisme provincial. Mao faisait probablement partie des opposants à cette stratégie : il était trop mêlé au mouvement ouvrier pour ignorer que les travailleurs étaient en train de se mobiliser *contre* la bourgeoisie, contre l'étranger aussi, malgré l'antagonisme d'un pouvoir militaire capable du pire pour réprimer une grève — on l'avait vu au Hunan. Il estimait toutefois qu'un vétéran comme lui n'était pas libre de contester publiquement la ligne du Parti. Chen Duxiu, l'homme dont il s'était longtemps inspiré, n'a pas eu les mêmes scrupules. Il s'est vigoureusement élevé contre le projet d'alliance, arguant de la divergence de méthodes et d'objectifs entre les deux partis, de la coopération des nationalistes avec les États-Unis, les potentats militaires du Nord et les politiciens à la solde des Japonais, de leur intolérance et de leurs tactiques mensongères. En s'associant à eux, les communistes perdraient la confiance des jeunes. Ce débat crucial et quelques autres concernant le rôle du prolétariat dans le combat en cours ont mobilisé l'attention des délégués au deuxième congrès du Parti, tenu à Shanghai du 16 au 23 juillet 1922. Mao y avait sans doute été invité : il était présent au premier et n'avait pas démérité comme chef du secrétariat de l'Organisation hunanaise du travail. Pourtant, il n'a assisté à aucune des séances. La seule explication qu'il ait donnée de son absence — et cela, des années après — est aussi étrange qu'incomplète : « J'avais oublié le nom de l'endroit, et je n'ai pu trouver aucun camarade. » Distrait, Mao l'était certainement — il avait déjà avoué à un correspondant avoir égaré une lettre à moitié lue —, mais il connaissait assez bien Shanghai, y ayant déjà fait trois séjours dont deux relativement longs, et il avait une foule de contacts au sein du Parti. Il est vrai que l'agglomération, immense, morcelée et flanquée de deux concessions internationales, était un vrai dédale, mais d'autres facteurs ont pu jouer dans cette affaire : Kaihui était enceinte de cinq mois, Mao travaillait nuit et jour depuis trop longtemps, et plusieurs délégués s'étaient désistés, dont Li Dazhao et la délégation cantonaise. À douze, les participants au congrès ont été capables de s'entendre sur le texte d'un communiqué exprimant la volonté du Parti communiste de coopérer avec Sun Yat-sen et les autres chefs du Guomindang.

Leur décision n'est pas seulement une marque de soumission à Moscou. Au mois de mai précédent, les marins de Hong Kong ont entamé sous l'impulsion des nationalistes une grève qui a été très suivie et s'est conclue par un triomphe ; le Guomindang y a beaucoup gagné en prestige révolutionnaire. Malgré le succès de « ses » grèves, le Parti communiste demeure minuscule : les délégués au congrès représentaient exactement 195 membres. C'est quatre fois plus qu'il y a un an, mais c'est tout de même insignifiant, et il n'y a qu'une trentaine d'ouvriers dans le lot. Enfin, les caisses sont vides. La plupart des membres n'ont ni travail ni autre source de revenu. Des 17 500 dollars chinois dépensés par les organes centraux l'automne et l'hiver précédents, 16 665 venaient du Komintern ; il est la seule source de fonds inscrite au budget de la prochaine année.

Maring devra quand même convoquer une assemblée spéciale à Hangzhou en août 1922 pour arracher l'ordre d'adhésion en bloc des communistes au Guomindang. Bon nombre des têtes dirigeantes s'y plieront sur-le-champ, dont Li Dazhao et même Chen Duxiu. Mao semble avoir attendu jusqu'au début de 1923 au moins. Peut-être s'y résigna-t-il en février après qu'un seigneur du Nord que les communistes croyaient progressiste eut réprimé dans le sang une grève des cheminots et décapité leur chef en public. L'affaire montrait trop bien qu'il n'y avait rien à espérer des gouverneurs militaires, au Hunan comme ailleurs. Quoi qu'il en soit, l'été suivant, Mao est membre en règle du Guomindang. L'alliance ne profite guère à son parti : en juin 1923, il compte seulement 420 membres dont 37 femmes et 164 ouvriers. Dix sont en prison. De plus en plus engagé en politique, Mao doit quitter en juin sa femme enceinte depuis le printemps pour assister au troisième congrès du Parti à Canton. Il n'a jamais mis les pieds dans cette ville, mais ne s'y perdra pas. Il appuie sans broncher toutes les déclarations en faveur de l'alliance avec le Guomindang, est élu membre du bureau central du Parti et prend la tête du service d'organisation. Fulgurante promotion, qui ne va pas sans inconvénients familiaux, car elle l'oblige à faire un long détour par Shanghai avant de rentrer chez lui. Il y arrive en juillet pour apprendre que la situation s'est dangereusement dégradée à Changsha. La ville est sous la coupe d'un nouveau maître qui a fermé beaucoup d'écoles et dissous plusieurs des syndicats que Mao avait contribué à créer l'année précédente. Le Hunan est en proie à un nouveau spasme de violence. Abandonnant la cause de l'indépendance pour laquelle il avait si ardemment milité, le nouveau porte-parole du Parti écrit froidement : « Nous nous sommes toujours opposés à une fédération de provinces autonomes » parce qu'elle se réduirait à un assemblage de régimes séparatistes sous la férule de gouverneurs militaires. Le 16 septembre, Mao est enfin de retour à Changsha ; il y trouve deux armées prêtes à en découdre de part et d'autre du Xiang. La situation lui paraît si inquiétante qu'il décide de faire passer son courrier politique par des voies privées et demande à ses correspondants de lui écrire sous un nom d'emprunt afin de protéger sa famille d'éventuelles représailles. Il se rend compte très vite qu'il n'a pas les moyens d'accomplir les tâches qui lui ont été confiées ; il lui faudrait 100 dollars chinois par mois pour payer le loyer et le budget de l'organisation envisagée par les nationalistes. C'est dans ce climat déprimant que Kaihui accouche de leur deuxième fils, Anqing, en novembre 1923. Mao devrait assister à une réunion du comité central du Parti communiste à Shanghai en décembre, mais comment abandonner Kaihui dans une situation pareille ? Il se contente donc d'adresser un compte rendu à ses collègues. Rapport morose : les organisations rurales pilotées par la ligue des jeunes socialistes ont été décimées par la répression militaire et achevées par une politique d'« agitation économique » si extrémiste qu'elle s'est aliénée la couche moyenne, relativement prospère, de la paysannerie. Pourtant, les associations de certains cantons méridionaux comptaient une dizaine de milliers d'adhérents. Le Parti n'a recruté que 14 membres à Changsha et une trentaine dans les foyers de grève au cours des quatre derniers mois. La guerre ayant forcé beaucoup d'usines à fermer leurs portes, les ouvriers se sont appauvris, et ceux de leurs clubs qui n'ont pas fermé sont inactifs. Le Parti passe l'éponge sur cette dérobade, mais le dilemme resurgit dès janvier 1924. Le Guomindang tient à Canton son premier congrès national. Or, le Komintern exige la création d'un front uni. Cette fois, Mao se sent tenu de faire le déplacement. Kaihui a beau être membre du Parti, elle n'admet pas que son mari la laisse seule avec deux enfants de 14 mois et de un mois dans une ville en guerre. Les lettres qu'ils ont échangées ont disparu, mais Mao, épris de poésie classique depuis ses études secondaires, s'adressait facilement en vers à ses proches. L'un de ses poèmes, daté de décembre 1923 et destiné à Kaihui, révèle clairement l'acuité de leur mésentente, malgré sa fidélité au canon classique.

> La main levée dans un adieu, je me mets en route.
> Les regards désolés que nous échangeons
> Aggravent notre amertume.
> La tension dans tes yeux et tes sourcils
> Montre que tu retiens des larmes brûlantes.
> Je sais que tu as mal compris nos dernières conversations.
> Nous nageons dans les nuages et le brouillard,
> Alors même que nous croyions nous connaître mieux
>   que personne.
> Quand on souffre autant,
> Le Ciel en est-il conscient ?
> En cette aube, le chemin givré vers la porte de l'Est,
> Le reflet de la lune pâlissante et de la moitié
>   du ciel dans notre étang
> Font l'un et l'autre écho à notre désolation.
> Le sifflement du train me transperce.

Désormais je serai seul partout.
Je te supplie de trancher ce nœud d'émotions.
Je voudrais être moi-même un voyageur sans racines
Que ne touchent plus les confidences des amants.
Les montagnes vont bientôt s'effondrer.
Des nuages filent dans le ciel.

À Canton, Mao prend part à tous les débats importants, découvre les étoiles montantes de la scène politique et se révèle remarquablement doué pour focaliser les débats et dégager un consensus. Élu membre substitut du comité exécutif du Guomindang, il assiste à quatre réunions successives du bureau national du Parti et y fait des propositions importantes sur le financement et l'administration. En février, il s'installe à Shanghai ; il occupera jusqu'à la fin de l'automne 1924 des fonctions d'encadrement de haut niveau tant au PCC qu'au Guomindang (dont il rédige les procès-verbaux). Il doit notamment définir le rôle que chaque parti pourra jouer dans les affaires de l'autre au sein du Front en formation : opération délicate entre toutes, propre à susciter toutes sortes de malentendus. Kaihui le rejoint en juin, au moins pour un certain temps. Elle a engagé une bonne pour l'aider à prendre soin des enfants. En juillet, persuadé que l'alliance avec les nationalistes n'est pas viable, Mao rédige avec Chen Duxiu un texte pressant les communistes de réfléchir sans délai aux conséquences d'une rupture. Les deux hommes font valoir que l'aile droite du Guomindang a le vent en poupe et qu'elle est déterminée à s'entendre avec les pouvoirs économiques et militaires sur le dos des ouvriers et des paysans. Le 10 septembre, Mao signe une autre circulaire sur les potentats militaires du centre du pays. Il récidive en novembre avec un texte sur l'action du Parti et la politique à tenir vis-à-vis de Sun Yat-sen. Le mois suivant, sans avertissement, il regagne Changsha. Février 1925 le trouve à Shaoshan, son village natal. Pendant un an ou presque, il reste terré à la campagne, ratant toutes les réunions des deux partis, ce qui lui vaut évidemment d'être suspendu des comités importants. Auprès de la direction du Parti communiste, il plaide le surmenage, et il ne ment certainement pas. On peut toutefois penser que la fatigue n'était pas le seul motif de sa conduite. Il voulait sûrement passer plus de temps avec les siens. Peut-être souhaitait-il aussi s'investir davantage en milieu rural ; il aurait alors choisi une région dont il connaissait bien les coutumes et les dialectes, les tragédies et les espoirs, pour se constituer une base sûre au sein d'une population qu'il comprenait et en qui il avait confiance. Le Komintern, le Parti communiste chinois et le Guomindang s'étaient tous prononcés, avec plus ou moins d'emphase, en faveur de la révolution paysanne, mais les belles paroles ne remplacent pas l'action directe, la collecte de renseignements sur un terrain familier. Ici et là, entre autres dans le sud-est du pays, quelques pionniers avaient

entrepris de constituer des associations ou des coopératives paysannes, ou encore menaient campagne en faveur
d'un adoucissement des baux fonciers, voire d'une redistribution des terres. Kaihui s'intéressait peut-être à la question,
car le Hunan avait été le théâtre de plusieurs tentatives de
réforme. Dans le rapport envoyé au comité central du Parti
communiste à la fin de 1923, Mao avait documenté leur
ampleur et leur échec final. Il n'écrit pas une ligne sur ses
activités dans la région de Xiangtan entre les mois de
décembre 1924 et d'octobre 1925. À croire qu'il a renoncé
aux rôles d'éducateur et de journaliste qu'il présentait
comme l'ambition de sa vie en 1921. Et puis, aussi subitement qu'il avait décroché, il réapparaît à Canton et reprend
la plume pour le service de propagande du Guomindang.
Il réitère son allégeance au Front uni, vitupère l'impérialisme et le militarisme, prône la révolution du prolétariat.
En janvier 1926, on lui demande d'exposer ses vues sur la
paysannerie dans un rapport conjoint au congrès du Guomindang, mais il n'y révèle ni l'évolution de sa pensée ni la
nature de ses expériences récentes. Le 14 février, il sollicite
du secrétariat du Guomindang un congé de deux semaines
sous prétexte que sa santé mentale s'est altérée. Il se fait
remplacer par Shen Yanbing, qui deviendra l'un des écrivains communistes les plus célèbres de Chine sous le pseudonyme de Mao Dun. Shen racontera plus tard que Mao
avait pris congé pour aller au Hunan évaluer le potentiel

du mouvement paysan. S'il a dit vrai, l'affaire témoigne non d'une maladie, mais d'un choix politique. Le fait est qu'à son retour Mao commence à plaider la cause des paysans, d'abord dans la propagande qu'il rédige pour le Guomindang et les communistes, puis dans une série de rapports sur le rôle de la paysannerie dans les mouvements révolutionnaires anciens, enfin dans les cours qu'il donne entre mai et septembre 1926 à l'Institut de formation agricole où il a été nommé directeur des études, un rôle conjuguant sa double passion pour l'enseignement et la recherche. Les notes prises durant une tournée au Xiangtan, son canton natal, témoignent d'une ahurissante minutie : pour dresser le budget d'une famille paysanne, par exemple, il tient compte non seulement de la superficie cultivée et du taux d'usure, mais aussi du prix et de la consommation des produits de première nécessité — lard, sel, kérosène, thé, semences, engrais — ainsi que du coût d'achat et d'entretien des animaux de trait et de l'outillage agricole. Il divise les bêches en trois catégories selon leur prix et leur poids. Du petit bois au tamis à riz en passant par le combustible, le van, l'habillement et le tissage domestique, aucun détail ne lui échappe. Mao s'engage dans cette réflexion sur la condition paysanne à un moment où la scène politique se transforme profondément. L'union entre les communistes et les nationalistes a survécu à la mort de Sun Yat-sen, emporté par un cancer en 1925. Au milieu de la même année, de gigantesques manifestations anti-impérialistes ont secoué le pays à la suite du décès de civils chinois dans des affrontements avec les soldats britanniques chargés de protéger la vie et les biens des étrangers. Les ouvriers prennent une part de plus en plus active à la vie politique, et les effectifs du Parti communiste augmentent en conséquence. Au début de 1925, il avait moins de 1000 membres; au printemps 1927, il en comptera 57 000! Le Front possède à présent sa propre armée; conseillée par les émissaires du Komintern, elle est encadrée par les jeunes diplômés de l'école militaire que les deux partis ont fondée à Huangpu, près de Canton. Chiang Kaichek, le commandant de cette académie, était un conseiller très écouté de Sun Yat-sen; il jouit d'un grand ascendant au sein de la composante nationaliste de l'armée et de partisans fanatiques parmi les jeunes officiers issus de son école. C'est lui qui, au printemps 1926, prend la tête de l'expédition lancée par le Front contre les seigneurs de la guerre. Sa mission: réunifier le pays. Les querelles idéologiques attendront. Mao fait partie des agents chargés de mobiliser les paysans pour faciliter cette marche vers le nord. En août, Changsha tombe aux mains du Front. Durant l'automne, l'armée de reconquête balaie les dernières poches de résistance au Hunan et atteint le fleuve Yangzi. Mao savoure le miel de la victoire. Le 20 décembre 1926 compte sans doute parmi les plus grands jours de sa vie

publique : cet après-midi-là, à deux heures, une cloche ré-
sonne dans une salle de théâtre de Changsha, annonçant à
plus de 300 spectateurs en délire le discours de « Monsieur
Mao Zedong… un des chefs de la Révolution chinoise qui
s'est le plus intéressé à la condition paysanne ». Avant d'entamer son exposé sur les classes et la révolution, l'orateur
avouera sans façon qu'il n'aurait jamais imaginé vivre un
moment comme celui-là un an auparavant. Le 4 janvier
suivant, il entreprend une tournée d'un mois dans la campagne hunanaise qu'il connaît le mieux, notamment les
cantons de Xiangtan et de Xiangxiang d'où sont originaires
son père et sa mère. À la mi-février, il remet au Parti un
compte rendu d'une quarantaine de pages. D'une plume
brûlante de passion, il y relate le soulèvement des paysans
pauvres et les brimades infligées aux grands propriétaires,
contraints de traverser les villages qu'ils avaient opprimés
affublés de grands cônes de papier ; la volonté d'émancipation des femmes mariées ; le développement des sociétés
secrètes, de la petite délinquance aussi, dans cette atmosphère de rébellion ; le plaisir de redresser des torts anciens
par la violence ; et les jeux des enfants transformés en allégories politiques.

Ce rapport est l'un des textes les plus exaltés jamais si-
gnés par Mao, peut-être le plus lyrique qu'on lui connaisse,
mais, même au comble de l'enthousiasme, l'auteur ne
résiste pas à la tentation comptable : les effectifs et la cou-

verture géographique de chaque organisation paysanne sont méticuleusement recensés. La palme du radicalisme va au canton de Xiangxiang, dont les 499 groupes paysans rassemblent 190 544 membres; le Xiangtan arrive en quatrième place avec 450 associations réunissant 120 460 adhérents. Le seul écrit de Mao dont le ton puisse rivaliser avec celui de ce rapport, c'est le manifeste de l'été 1919 intitulé *La grande union des masses populaires*, où il avait proclamé : «Du lac Dongting à la rivière Min, la marée ne cesse de monter. Elle remue le ciel et la terre, chasse les méchants devant elle. Ah! nous le savons! Nos esprits se sont ouverts! Le monde nous appartient, et l'État, et la société. Si nous ne parlons pas, qui parlera en notre nom? Si nous n'agissons pas, qui le fera pour nous? Nous devons agir avec vigueur pour réaliser la grande union des masses populaires, car elle ne peut plus attendre un seul instant!» Huit ans plus tard, ce sont les paysans de sa région natale qui portent le destin de la Chine sur leurs épaules : «Tous les partis révolutionnaires et tous les camarades révolutionnaires passeront en jugement devant eux, et ils décideront du sort de chacun. Marcher à leur tête, gesticuler et critiquer dans leur dos, les affronter : voilà le choix que chaque Chinois doit faire, mais sachez que les circonstances vous obligeront à le faire très vite.»

CHAPITRE 6

La longue déroute

Tout s'écroule au printemps 1927. Déterminé à stopper la montée en puissance des communistes, Chiang Kai-chek commence par « nettoyer » Shanghai sous le regard bienveillant des résidents occidentaux et avec le soutien actif des seigneurs de la guerre, des sociétés secrètes et des bandes criminelles ralliés à lui. Communistes et syndicalistes sont pourchassés, arrêtés, exécutés par milliers. Staline et les théoriciens du Komintern se réjouissent de cette « terreur » qui, clament-ils, révèle la nature contre-révolutionnaire du Guomindang. Ils exigent pourtant de leurs frères chinois qu'ils continuent à coopérer avec les nationalistes de « gauche » qui contrôlent Wuhan, une agglomération de trois villes industrielles bordant le Yangzi, loin à l'intérieur des terres. Mao, qui fait toujours partie du comité central du Guomindang, est donc envoyé à Wuhan ; pour ne pas effaroucher les derniers alliés nationalistes, la direction du Parti lui ordonne de tempérer l'ardeur des masses paysannes qu'il a décrite avec tant de ferveur dans son rapport de février. Durant l'été, l'aile gauche du Guomindang se rallie elle aussi à Chiang Kai-chek: la répression broie sans merci les organisations communistes de Wuhan ainsi que les associations paysannes de la région et du Hunan voisin. Dans cette conjoncture critique, Mao reçoit du comité central du Parti — qui continue de jouer les courroies de transmission pour Staline et le Komintern — l'ordre de réactiver l'insurrection paysanne pour accélérer la marche de la révolution.

Mission impossible: Mao n'est pas en terrain connu et doit affronter une répression féroce. À peine parvient-il à enrôler quelques milliers de recrues, lui qui chiffrait l'effectif des organisations paysannes du Hunan à 1 367 727 personnes six mois plus tôt! Sa petite troupe est balayée par les armées adverses.

Mao tire une conclusion capitale de cette expérience: une organisation politique doit avoir les moyens militaires de son ambition. Son rapport du 7 août 1927 affirme noir sur blanc ce principe auquel il avait fait allusion à quelques reprises auparavant. L'introduction évoque la défunte alliance avec le Guomindang sur un ton lyrique qui rappelle celui des articles sur la fiancée de Changsha en 1919, lesquels comptent parmi les plus beaux textes de sa jeunesse. Les communistes ont erré en s'imaginant que « le

Guomindang appartenait à d'autres. En réalité, c'était une maison vide qui attendait des occupants. Nous avons fini par y entrer, avec la réticence d'une fiancée prenant place dans le palanquin nuptial, mais nous n'avons pu nous résoudre à nous y conduire en hôtes. » Lorsque la direction du Parti a décidé d'enrôler paysans et ouvriers sous la bannière nationaliste, il était trop tard. Mao ajoute que son rapport sur le Hunan a eu des effets sur place, mais « aucune influence au centre. À l'extérieur comme à l'intérieur du Parti, les masses réclament la révolution, mais les directives du Parti ne sont pas révolutionnaires ; elles sont même contre-révolutionnaires à certains égards. » Les communistes doivent s'inspirer de Chiang Kai-chek, monté « l'arme au poing », et « prêter la plus grande attention aux questions militaires... le pouvoir politique est au bout du fusil. »

Après l'échec de sa tentative d'insurrection, Mao s'est réfugié avec les restes de son armée dans l'est du Hunan. Il propose à la mi-septembre un assaut contre Changsha dans le vague espoir de déclencher une conflagration plus vaste, mais y met une condition qui reflète clairement son nouvel état d'esprit : l'appui de deux régiments communistes. Le ton de sa dépêche est optimiste ; pourtant, l'information qu'elle contient laisse peu d'espoir sur ses chances de succès. Il dit avoir pris des mesures pour couper l'électricité et paralyser le trafic ferroviaire, mais ne les détaille pas. Les « paysans des alentours » de Changsha mèneraient l'assaut ; ils seraient épaulés par les tireurs de pousse-pousse de la ville et par « environ 500 soldats blessés » qui y sont cantonnés. Le plan n'a aucune chance de réussir et ne connaîtra même pas un début d'exécution.

En octobre, poussé dans ses derniers retranchements à la frontière du Jiangxi, Mao ouvre des négociations avec les chefs de deux sociétés secrètes qui possèdent un sanctuaire dans les monts Jinggang, à plus de 150 kilomètres de son refuge. Les trois hommes s'entendent à la fin du mois, et Mao lève aussitôt le camp. Du coup, il perd contact avec Kaihui, qui vient de donner naissance à son troisième fils, Anlong. Il continue toutefois à communiquer avec les chefs communistes du sud du Jiangxi par l'entremise d'un de ses frères. Quelques-uns le rejoindront plus tard dans le Jinggangshan avec les débris de leur armée.

Mille neuf cent vingt-huit marque un autre tournant dans la vie de Mao. Il opère à présent dans le vide absolu, ayant perdu tous ses contacts et postes au Parti communiste comme au Guomindang. En mars, il croira même avoir été expulsé du Parti sur la foi d'un membre du comité hunanais venu se réfugier auprès de lui. (La nouvelle est fausse.) Des paysans qui l'entourent, peu sont issus des cantons qu'il connaît bien, le Xiangtan et le Xiang-xiang. Le rude milieu du Jinggangshan ne ressemble guère aux luxuriantes vallées rizicoles qui l'ont vu grandir. Les sociétés secrètes qui ont accueilli sa petite troupe sont sympathiques aux communistes, mais entendent gérer leurs affaires à leur manière. Quand Mao, sur ordre du Parti, tente une incursion dans la plaine, il subit de telles pertes qu'il doit très vite lâcher prise. À une occasion au moins, il refuse de risquer ses hommes en terrain découvert. Dans un rapport succinct au comité provincial du Jiangxi, en mai 1928, il demande d'expédier tout son courrier aux chefs des sociétés secrètes qui contrôlent le sanctuaire : il n'a pas d'autre adresse.

Dans le même document, il signale que son quartier général — l'endroit où il prépare les « insurrections » des cantons voisins — se trouve à Yongxin, un chef-lieu du Jiangxi. Il lui fallait une base, explique-t-il, pour organiser les « 10 000 pauvres hères sans discipline » qu'il a sous ses ordres, développer les structures du Parti, réunir des fonds et fabriquer des vêtements. Yongxin est gouvernée par les communistes depuis avril 1927. Parmi les personnalités locales qui siègent au conseil révolutionnaire du canton figurent trois jeunes membres d'une famille de grands propriétaires et de lettrés, les He. Les deux sœurs et le frère sont devenus membres du Parti communiste l'année précédente, pendant l'expédition du Front uni vers le nord. Ils ont ensuite rejoint les rebelles du Jinggangshan. L'une des filles, Zizhen, est âgée de 19 ans et aussi célèbre pour sa beauté que pour son esprit. Lorsqu'il la rencontre, dans son

sanctuaire de montagne, Mao a 34 ans. Durci par les privations, mûri par son travail d'organisation auprès des paysans et de liaison avec les directions des partis nationaliste
et communiste, il est devenu le chevalier errant qu'il évo-
quait dans son poème à Yang Kaihui. Il vit si pleinement
cette vie de hasard imposée par le destin que le souvenir de
sa famille s'estompe peu à peu de son esprit ; du reste,
même s'il le voulait, il ne pourrait pas revenir auprès des
siens à Changsha, pas plus que Kaihui ne pourrait quitter
la ville pour le rejoindre. Un poème composé par Kaihui
en octobre 1928 nous la montre désolée de cette séparation
et du silence qui s'est installé entre eux. Elle y exprime l'espoir qu'il est chaudement vêtu et la crainte qu'une blessure
au pied subie avant son départ ne continue à le tourmen-
ter. Elle s'inquiète aussi du fait qu'il passe ses nuits seul,
privé de tendresse. À cette date, Mao ne dort plus seul : He
Zizhen est devenue sa maîtresse. Leur premier enfant naîtra en 1929.

La direction nationale du Parti et le comité hunanais mul-
tiplient les instructions contradictoires. De toute manière,
Mao serait bien en peine de suivre une ligne quelconque
dans une région aussi pauvre et instable avec des troupes
aussi peu fiables. Il opte donc pour une politique personnelle conjuguant ses conclusions sur la révolte paysanne au
Hunan et les directives du Komintern sur l'agitation rurale
(thème fréquent dans les textes de l'Internationale, mais

qui ne constitue pas une constante de sa politique). Les « lois agraires » qu'il promulgue en décembre 1928 stipulent que *toutes* les terres seront confisquées à leurs riches propriétaires. La plupart seront données aux petits paysans ; les dernières parcelles seront exploitées en commun ou mises en réserve pour des « fermes modèles ». Exception faite des vieillards, des nourrissons et des infirmes, « toute la population sera tenue de travailler ». (Mao s'est-il souvenu des lois du seigneur Shang qu'il avait analysées dans une dissertation ?) Les prairies riches en oléagineux comestibles iront aux paysans, les bambouseraies resteront propriété de l'État révolutionnaire. Une taxe foncière de 15 p. 100 s'appliquera presque uniformément. Les soldats de l'Armée rouge recevront leur part des terres redistribuées, et l'État embauchera des travailleurs agricoles pour les exploiter pendant la durée de leur service militaire. Ces belles perspectives n'empêchent pas la petite troupe de manquer de tout, des vêtements d'hiver aux médicaments en passant par les munitions, les armes et la nourriture. Seul son esprit « démocratique » — le partage égal des souffrances — lui permet de tenir. La stratégie la plus efficace est la guérilla : attaquer uniquement des troupes inférieures en nombre et ne pas disperser ses forces.

En janvier 1929, Mao décide de transférer sa base opérationnelle dans une région plus riche et moins vulnérable aux pressions ennemies. Son choix se porte sur la zone frontalière entre le Jiangxi et le Fujian. En quittant son sanctuaire de montagne, il s'expose à une autre pression : celle du Parti communiste, qui n'approuve pas ses stratégies de survie. On finit par lui ordonner de « quitter l'armée » et de se rendre à Shanghai pour y recevoir des instructions. Mao tergiverse, puis réplique que le Parti ferait une grave erreur en essayant de freiner « le développement du pouvoir paysan sous prétexte qu'il pourrait priver les ouvriers de leur rôle directeur et nuire à la révolution ». Lorsque la direction du Parti migre au Fujian, Mao n'a toujours pas obéi. Ses adversaires s'empressent de convoquer une série de réunions où ses idées sur la révolution paysanne et l'emploi de la force armée sont violemment attaquées.

L'hérétique n'est pas présent à son procès. Il est malade, pour de vrai cette fois : un mélange débilitant de malnutrition, d'épuisement et de malaria. Zizhen vient de donner naissance à leur premier enfant, une fille. C'est un Mao encore dolent qui écrit en novembre à son vieil ami et ancien camarade d'école Li Lisan. Devenu un membre influent du Politburo, celui-ci prendra bientôt la tête du Parti. « Je suis malade depuis trois mois, lui apprend Mao, et même si je vais un peu mieux à présent, j'ai toujours le cafard. » C'est que la compagnie de Zizhen ne compense pas l'absence de sa femme et de ses enfants. « Je pense souvent à Kaihui, à Anying et aux autres ; j'aimerais leur écrire, mais je n'ai pas leur adresse. » Li Lisan pourrait-il essayer de retracer son frère Mao Zemin à Shanghai et d'obtenir de lui l'adresse de Yang Kaihui ?

Les lettres de Mao à Kaihui sont perdues ; nous ne savons donc pas s'il a mis son projet à exécution. Ce qui est sûr, c'est que Li Lisan relança les opérations contre les agglomérations, ce qui aboutit, en octobre 1930, à une attaque en règle contre Changsha, la ville où vivait Kaihui avec ses trois enfants et leur bonne. L'armée du Guomindang repoussa l'assaut et entreprit de nettoyer la ville. L'un de ses généraux apprit alors la présence de la jeune femme et la nature de ses relations avec Mao. Il la fit arrêter et interroger ; elle refusa de renier son mari et fut exécutée. Les enfants et la bonne furent sauvés par des amis qui les envoyèrent à Shanghai, où les petits furent placés en garderie dans une école. Après la fermeture de l'établissement, ils vécurent dans la précarité la plus complète pendant des années. Le benjamin mourut ; les deux aînés furent retrouvés par la direction du Parti en 1936 et envoyés en Union soviétique. Anying et Anqing ne revirent leur père qu'en 1946.

Mao passera cinq ans, de 1930 à 1934, dans sa nouvelle base frontalière. Le Soviet du Jiangxi est nettement plus vaste que l'ancien sanctuaire des monts Jinggang ; il est, hélas, plus exposé aux attaques d'un Chiang Kai-chek déterminé à éradiquer cet emblème de la résistance communiste. De nouveau soumis aux pressions extérieures, ballotté entre les ordres du Komintern et les réalités locales, Mao conserve un profil politique plutôt bas, se contentant de rédiger un méticuleux rapport d'enquête sur la vie paysanne dans le canton de Xunwu — le troisième après les documents sur le Hunan et le Jinggangshan et l'une des plus importantes analyses sociales produites par les communistes à cette époque. On y trouve des données non seulement sur la propriété foncière et les structures de classe, mais aussi sur les services télégraphiques et postaux, le commerce des produits locaux et importés, les activités des bouchers et des marchands de vin, l'emploi des herbes médicinales et du tabac, les pensions et les échoppes de coiffeur, le port de bijoux, le nombre des prostituées et le profil de leur clientèle, le taux d'alphabétisation de la population et même les coutumes concernant l'adultère !

Quoique précaire, la position de Mao — président de la république soviétique provisoire du Jiangxi — lui permet pendant longtemps de peser sur les décisions : il signe les grands documents d'orientation, convoque les instances dirigeantes, participe aux débats sur les questions agraires et syndicales, les conflits avec les potentats militaires et, à partir de 1932, l'agression japonaise contre Shanghai et la Mandchourie, qui vaut au Parti une foule de recrues, notamment dans le milieu étudiant. Mais l'arrivée de la haute direction du Parti, chassée de Shanghai par la pression policière, ruine son influence. Sa présence n'est plus requise, ses avis sont écartés. On va jusqu'à lui retirer la présidence d'un comité au beau milieu d'une réunion.

Il prend plusieurs «congés de maladie» pendant cette période délicate. Certaines de ses absences ont sans doute un motif moins politique qu'affectif : en 1932, par exemple, il accompagne Zizhen à l'hôpital du Fujian où l'attend un médecin communiste qu'il a connu au Jinggangshan. Elle y accouche de leur deuxième enfant, un garçon qu'ils prénommeront Anhong. (Mise en nourrice dans la campagne du Fujian, loin de la zone des combats, leur fille aînée est morte très jeune, comme sans doute leur troisième enfant, né en 1933.) Et puis, c'est vrai, Mao n'est pas en bonne santé. Il a des crises de paludisme et devra passer plusieurs mois dans un sanatorium d'une zone sûre du Fujian pour soigner un début de tuberculose diagnostiqué à la fin de 1932. À plusieurs reprises, il se retire dans les montagnes en compagnie de Zizhen et de «gardes du corps» chargés de le protéger d'une éventuelle attaque ennemie —, mais, peut-être aussi, de lui interdire tout déplacement. D'avril à octobre 1934, par exemple, il vit avec sa femme et leur fils nouveau-né dans un temple de montagne isolé de tout. Il est pourtant toujours le président du soviet.

Pendant ce temps, les nationalistes s'acharnent contre ce repaire communiste. La situation devient tellement critique que la direction du Parti décide d'abandonner la province. Elle se garde bien d'en informer Mao, qui ne

participe donc pas à l'organisation de la fameuse « Longue
Marche », l'événement phare de l'histoire du communisme
en Chine. Le 18 octobre, avec sa femme enceinte, il rejoint
une colonne de 86 000 soldats et partisans non loin de sa
résidence. Une quinzaine de milliers d'hommes restent sur
place pour défendre environ 10 000 soldats trop malades
ou mal en point pour marcher, ainsi que la population
civile. Seules quelques femmes, pour la plupart des compagnes de cadres dirigeants, accompagnent l'armée ; Mao
obtient cette autorisation pour Zizhen, à nouveau enceinte,
mais pas pour son fils de deux ans Anhong. Il le confie à
son frère cadet Zetan, qui fait partie de l'arrière-garde.
Appelé au combat, celui-ci remettra l'enfant à l'un de ses
gardes du corps. Après la mort de Mao Zetan, en 1935, la
trace du garçon se perd définitivement.

La « Longue Marche » exaltée par l'historiographie communiste fut un pur cauchemar. L'immense colonne traînait
un bagage invraisemblable : armes, matériel de communication, dossiers du Parti, reliques de la base du Jiangxi... Elle
avançait du coup à pas de tortue. Dans le Guangxi, elle per-
dit presque la moitié de ses effectifs en traversant le Xiang
sous le feu de l'aviation et de l'artillerie nationalistes. Elle
continua pourtant, dans la plus parfaite ignorance de sa
destination finale et même de la direction qu'elle allait prendre le lendemain. Ses chefs avaient tacitement convenu de
faire le point à Zunyi, une ville prospère du Guizhou.

Le 15 janvier 1935, une « réunion élargie du bureau politique » s'ouvre à Zunyi dans une atmosphère de crise. Le Parti a suivi une politique si désastreuse que la vie du mouvement révolutionnaire ne tient plus qu'à un fil. À qui la faute et, surtout, que faire et à qui s'en remettre à présent ? Participent à la réunion 17 cadres vétérans, dont Mao, Otto Braun, le représentant du Komintern, et son interprète. Deng Xiaoping, alors âgé de 30 ans, dresse le procès-verbal. L'assemblée critique durement Braun et les deux dirigeants responsables de la défense du soviet : ils ont mené une guerre de position axée sur la construction et la défense de blockhaus plutôt qu'une guerre de mouvement avec concentration rapide de troupes sur les points faibles du dispositif nationaliste ; leur immobilisme les a empêchés d'exploiter la mutinerie d'une armée de Chiang Kai-chek au Fujian en 1933. Ce bilan fait, on envisage l'avenir. La nouvelle base ne sera pas établie au Guizhou, mais au Sichuan, de l'autre côté du Yangzi. En ce qui concerne le leadership, l'assemblée note des « erreurs », mais pas de « scission ». Elle abolit le triumvirat qui dirigeait la Longue Marche et élit Mao à son comité directeur permanent avec le titre de conseiller militaire. D'après le procès-verbal, Otto Braun aurait repoussé toutes les accusations portées contre lui.

Zunyi marque le début de l'ascension de Mao vers le sommet, mais les épreuves ne lui manqueront pas en chemin. Pour commencer, la route du Sichuan est barrée par les troupes du Guomindang et de leurs alliés locaux. Incapables de traverser le fleuve, les communistes tourneront en rond dans le Guizhou pendant plusieurs mois sous le feu de l'ennemi, redescendront loin au sud, puis remonteront vers le nord le long de la frontière tibétaine en direction du Shaanxi, une province peu peuplée du nord-ouest du pays. Ensuite, le prestige accru de Mao ne lui donne pas une autorité incontestée sur les autres chefs militaires communistes. Beaucoup refuseront de risquer leurs troupes pour le protéger ; certains déserteront carrément son armée pour fonder leur propre base, débauchant au passage quelques-uns de ses meilleurs officiers. Mao monte en grade, mais ses troupes fondent ! Enfin, il manque de perdre Zizhen dans un bombardement. Elle survivra de justesse, le corps criblé d'une douzaine d'éclats d'obus, et parviendra à mener sa grossesse à terme, mais devra confier sa petite fille à des paysans et perdra sa trace, comme celle de ses trois aînés.

Pendant l'automne, les 15 000 survivants traversent les montagnes et marécages du Qinghai et du Gansu. Ils y affrontent des tribus hostiles, mais surtout une humidité dense, un froid mordant et une faim dévorante : impossible d'acheter ou de glaner quoi que ce soit en ces lieux désolés. Parmi ceux qui ne meurent pas d'épuisement, beaucoup succombent aux infections ou aux plantes vénéneuses.

C'est un maigre reliquat de 7000 à 8000 personnes qui rallie la petite base communiste de Wayabao, un village du Shaanxi au sud de la Grande Muraille, en octobre 1935.

Une année s'est écoulée depuis l'abandon du Soviet du Jiangxi, une année harassante et ahurissante. Mao doit maintenant préparer l'avenir, celui du Parti et le sien. Sa femme est tombée enceinte pour la cinquième fois peu après leur arrivée. Leur fille Li Min naîtra à Baoan à la fin de l'été 1936. Le journaliste Edgar Snow, le premier Occidental à obtenir une interview, note alors dans son carnet que Mao et sa femme sont « les fiers parents d'une petite fille ». Ils la verront — séparément — grandir, se marier et avoir deux enfants. Ce couple orphelin de quatre enfants bénéficiera in extremis d'une mesure de pérennité.

CHAPITRE 7

Naissance d'un culte

Automne 1936 : après avoir erré quelque temps en quête d'un gîte commode et défendable, les rescapés de la Longue Marche élisent domicile à Yan'an, une ville marchande qui possède un important parc de logements à loyer modique : d'anciennes habitations troglodytes creusées dans le lœss friable des collines avoisinantes. Bien isolées contre la chaleur et le froid souvent intenses dans cette région aride, ces cavernes s'aménagent en un tournemain. Tout ce qui leur manque, c'est une porte pour abriter les locataires du vent, de la poussière et des regards indiscrets. Avec quelques planches, le tour est joué : avantage non négligeable dans une région où les arbres sont rares.

Mao vit dans l'une de ces chambres souterraines, ce que les visiteurs étrangers ne manqueront pas d'interpréter comme un signe de simplicité et de ferveur révolutionnaires. Ce qu'il démontre, en fait, pour la énième fois de son existence, c'est une remarquable faculté d'adaptation aux circonstances. N'ayant goûté au confort de la vie urbaine que pendant d'assez brefs séjours à Shanghai et à Canton, il s'habitue vite à cette vie spartiate. La présence de sa dernière-née compense largement la tristesse de son décor domestique. Il caresse en outre l'espoir de revoir bientôt les deux enfants de Kaihui localisés à Shanghai : Anying, qui a maintenant 14 ans, et Anqing, 13 ans, dont la santé a, hélas, beaucoup souffert des privations. Il est entendu qu'ils se rendront à Yan'an dès qu'il leur sera possible de voyager sans risque.

Les circonstances dictent à Mao non seulement ses conditions de logement, mais aussi ses objectifs politiques : sauvegarder les débris de l'organisation communiste et renforcer son autorité au sein du Parti. Il sait qu'il sera entendu s'il appelle à la lutte contre les Japonais ; ils n'ont pas cessé de nuire à la Chine depuis la guerre de 1894-1895. Au début de la décennie, ils lui ont pris la Mandchourie, l'ont érigée en État indépendant sous le nom de Mandchoukouo et y ont installé un gouvernement fantoche. Dirigé par Henry Puyi, le dernier empereur de la dynastie Qing, il est aux ordres des militaires nippons et de l'énorme bureaucratie de la Société japonaise des chemins de fer de la Mandchourie du Sud. Reste à trouver une façon efficace de combattre ce puissant ennemi. Les communistes opteront finalement pour le contre-pied de la stratégie

nationaliste : Chiang Kai-chek a choisi de liquider l'adversaire intérieur avant de s'attaquer à l'ennemi extérieur ; ils
appelleront le peuple chinois à mettre fin à cette guerre
fratricide et à s'unir contre l'envahisseur.

En décembre 1936, le hasard leur offre une occasion en
or de passer des paroles aux actes. Dans le cadre de la campagne d'éradication qu'il préparait contre le réduit de Mao,
Chiang Kai-chek est venu en avion à Xi'an, la capitale du
Shaanxi, pour rallier à sa cause Zhang Xueliang, un seigneur de la guerre chassé de Mandchourie, qui dispose
d'une armée nombreuse et disciplinée. Or, dans la nuit du
12 décembre, Zhang l'a fait enlever et mettre aux arrêts en
attendant… l'adoption d'un programme de résistance nationale contre le Japon ! Les communistes cultivaient le
général depuis un certain temps, mais il ne semble pas
qu'ils aient eu vent de ce surprenant coup de force. Cette
divine surprise crée toutefois un épineux dilemme : faut-il
réclamer la tête de cet ennemi implacable ? Entamer des
négociations avec son geôlier pour gagner le temps nécessaire à la mise en route des réformes sociales ? Faire pression sur Chiang pour qu'il retire ses troupes du Shaanxi ?
Accepter sa libération en échange d'une alliance antijaponaise ?

Fraîchement élu à la présidence du conseil militaire et
membre du Politburo, Mao tient l'un des premiers rôles
dans le débat qui agite la direction du Parti. Au terme de

discussions tendues avec le général Zhang et Moscou, c'est la dernière option qui est retenue, avec certains aménagements. L'annonce d'un renforcement du Front uni est faite le 19 décembre. Le ton courtois, mais empreint d'ironie de l'entrée en matière rappelle le Mao d'avant la fondation du Soviet du Jiangxi : les chefs du Guomindang et leurs alliés militaires sont de « respectables gentlemen », mais, contre les Japonais, « ces messieurs de Nanjing ont été lents à agir ». Les fioritures de style disparaissent quand on aborde les sujets qui fâchent. Les communistes réclament : un cessez-le-feu et une ligne de démarcation entre les forces communistes et nationalistes ; la convocation à Nanjing d'une conférence de paix réunissant « tous les partis, groupes, couches sociales et armées », y compris les communistes ; un débat ouvert sur « ce qu'il convient de faire de Monsieur Chiang Kai-chek » sous réserve de son adhésion au programme d'union et de résistance nationales contre le Japon ; et une décision rapide « pour éviter que les bandits japonais ne profitent de la confusion ».

Chiang Kai-chek refuse de s'engager publiquement à soutenir le Front uni ou à mettre fin à la guerre civile, mais laisse entendre qu'il changera de politique. Sa libération, le jour de Noël, est perçue par toute la Chine comme un présage de la fin du conflit et d'une alliance antijaponaise. Durant le mois de janvier 1937, Mao et ses collègues élaborent la nouvelle ligne officielle du Parti. Elle tient en quelques points. Les communistes nient toute implication dans l'enlèvement, qu'ils qualifient d'« affaire interne du gouvernement nationaliste de Nanjing ». Ils réitèrent leur volonté d'en arriver à une solution pacifique — volonté qui leur a interdit de soutenir le coup de force de Zhang Xueliang. Enfin, ils demandent que le général puisse quand même mener son armée au combat contre le Japon, de concert avec les autres seigneurs de l'Ouest (précisément ceux qui menacent les fragiles bases communistes). Si Chiang refuse et rallume la guerre civile, il en portera seul la responsabilité. Cette position, le Parti la conservera jusqu'à ce que l'incident du pont Marco-Polo, le 7 juillet 1937, oblige Chiang à lancer un appel général à la résistance armée. Ils se rallieront alors dans l'« enthousiasme » en rappelant que leur parti « fait preuve depuis longtemps en paroles comme en actes d'une attitude ouverte, désintéressée, et d'une volonté de compromis pour le bien commun qui lui a valu des éloges unanimes ».

Mao peut bien saluer la guerre avec « enthousiasme » : Yan'an est loin des zones de combat. C'est l'armée régulière du Guomindang qui livre bataille aux Japonais dans le nord de la plaine centrale et le long du Yangzi ; c'est elle qui est saignée à blanc dans l'âpre et longue bataille pour Shanghai. L'atroce « viol de Nanjing », le 7 décembre 1937, dépouille le Guomindang des derniers vestiges d'un pouvoir devenu largement illusoire, même dans sa propre capitale. Le gros de son armée se replie le long du Yangzi jusqu'à Wuhan. Après la chute de la ville, durant l'été 1938, les forces nationalistes s'enfoncent encore plus profondément à l'intérieur des terres, jusqu'à Chongqing. Au centre du pays, les Japonais n'affrontent désormais que quelques unités communistes rescapées de l'arrière-garde de la Longue Marche ou des soviets contemporains de celui du Jiangxi. Dans les grandes villes (dont Shanghai), le Parti communiste livre une guerre de l'ombre qui recoupe parfois les opérations des agents et des sociétés secrètes nationalistes.

Dans le Nord, la retraite nationaliste a laissé à découvert une importante base communiste à l'est de Yan'an : un immense soviet à cheval sur trois provinces, le Shanxi, le Chahar et le Hebei. Les combats y atteignent un paroxysme de cruauté. Commandés par des officiers très agressifs, les Japonais ne font pas de quartier ; leurs adversaires non plus. Comme la Mandchourie, le centre et le nord du pays sont placés sous l'autorité nominale de collaborateurs chinois. La police et la milice de ces régimes fantoches déchargent l'occupant des basses besognes : surveiller la population, traquer les communistes, percevoir les taxes et impôts. Des centaines de millio ns de Chinois n'ont d'autre choix que de subir. Parmi ceux qui décident de tout quitter plutôt que de se soumettre, la majorité prendra la route du Sud-Ouest menant au quartier général nationaliste de

Chongqing ou à l'« Université d'union » fondée au Yunnan par les élèves et professeurs de plusieurs établissements prestigieux de Beijing et de Shanghai. Quelques dizaines de milliers de résistants préféreront tourner leurs pas vers le nord, persuadés que leurs talents seront mieux employés à Yan'an et que Mao saura mieux que Chiang mobiliser les forces vives de la Chine.

Avoir survécu à la Longue Marche et remporté en cours de route des batailles idéologiques cruciales, c'était assez pour prendre une position dominante au sein du Parti; ce n'est pas suffisant pour faire taire les critiques. Les nombreux rivaux de Mao s'acharnent à refaire l'histoire, cherchant la faille idéologique qui leur permettrait de l'impliquer dans les désastres passés : autrement dit, de retourner contre lui la tactique qui l'a si bien servi à Zunyi. À Yan'an, le débat a pris des allures de procès. L'accusation insiste sur l'insuffisance des progrès accomplis — renforcement de l'armée et avancement de la réforme agraire — par rapport aux reculs dans les autres domaines : « Dans les villes et au sein de la classe ouvrière, nos pertes sont énormes. Non seulement nous n'y avons pas développé nos forces et préparé le soulèvement, mais notre organisation s'y est terriblement affaiblie. Des centaines de milliers de membres du Parti ont perdu la vie. Des centaines de milliers d'autres croupissent dans les prisons du Guomindang. » Pire, « l'immaturité et la médiocrité de la réflexion théorique au sein du Parti » ont fait naître des querelles de faction hautement délétères. Le Parti se conduit « exactement comme un homme qui, n'ayant jamais bu une goutte d'alcool, vide d'un coup une pleine bouteille de brandy... En clair, il abuse. » Derrière l'analyse historique et technique, l'argument vise directement des politiques suivies par Mao dans ses périodes les plus extrémistes. En novembre 1937, tout un groupe d'anciens élèves des écoles soviétiques débarque à Yan'an. La polémique rebondit, entraînant Mao dans un tortueux débat technique.

Pour ne pas s'y perdre, il doit absolument maîtriser la dialectique communiste. Or, s'il a forcément lu quelques textes marxistes-léninistes, il n'a jamais reçu la moindre formation sur ce sujet, ni dans les écoles du Parti ni à l'étranger. Depuis qu'il s'est résolu à défier les orthodoxes du PCC, en décembre 1935, il s'efforce de combler ses lacunes théoriques, d'où cette passion pour la science économique et la philosophie qui frappe tant ses invités à Yan'an. Ce n'est pas le seul moyen qu'il prend pour rehausser son prestige. Le 22 juin 1937, le journal révolutionnaire *Libération* de Yan'an publie un portrait de lui : une première. On le voit de face, le visage baigné de soleil, devant une troupe qui avance bannières au vent. La légende cite une de ses « pensées », un appel à la libération de la nation et de la société chinoises. L'automne suivant, un groupe de jeunes partisans publie une collection de ses essais accompagnée d'une préface adulatrice. Aucun leader communiste chinois n'a eu droit à pareil traitement jusqu'alors.

Pendant le printemps et l'été précédents, Mao a donné quelques conférences sur le matérialisme dialectique aux étudiants de l'université révolutionnaire. Rien de très profond : comme il l'avoue d'emblée à ses auditeurs, il commence à peine à réfléchir sur cette question. (Des chercheurs établiront plus tard qu'il plagiait les traductions chinoises de textes soviétiques.) Ces discours n'en présentent pas moins un réel intérêt, car Mao y exprime de manière balbutiante sa volonté d'adapter le marxisme aux réalités chinoises, comme Lénine l'avait fait pour la Russie. En attendant, il ne peut pas se contenter de gagner des batailles et de réformer la société ; pour asseoir son autorité, il faut aussi qu'il en impose aux théoriciens. C'est là que le bât blesse et que le destin veille. Peu avant l'exode étudiant déclenché par la tragédie du pont Marco-Polo, un homme d'une trentaine d'années a rallié Yan'an. Chen Boda est né en 1904, une décennie après Mao, dans une famille de paysans pauvres du Fujian. Il a étudié le marxisme-léninisme à Moscou et parle couramment le russe. Rentré au pays en 1931, il enseignait l'histoire et la philosophie chinoises dans une université de Beijing avant de se réfugier à Yan'an. Impressionné par l'élégance de sa plume et l'art consommé avec lequel il applique la dialectique à l'histoire, Mao le prend comme secrétaire particulier et le charge de

rédiger tous ses discours et essais théoriques. Dans la fou-
lée, il le nomme chef de la recherche au Bureau de la propagande communiste, un poste où il pourra déployer ses
dons idéologiques et exploiter son expérience russe. Un
peu plus tard, il lui confiera la direction des recherches sur
les questions chinoises à l'école centrale du Parti.

Mao vient de trouver son mentor idéologique. Il était
temps : la faction orthodoxe réclame avec insistance la convocation rapide d'un septième congrès du Parti. Ses intentions sont faciles à deviner. Le dernier congrès a eu lieu en
1928 à Moscou ; depuis, des nominations capitales ont été
faites, à Zunyi par exemple. La nouvelle assemblée plénière
aurait toute latitude pour annuler ces décisions et réexami-
ner la stratégie militaire des communistes. Dans ce débat
empoisonné, Mao a toujours défendu (et mis en pratique
quand il le pouvait) la stratégie de la guérilla : attirer l'ennemi loin en terrain communiste, l'obliger à diviser ses
forces, attaquer chaque colonne à tour de rôle avec des
forces mobiles et très supérieures en nombre. Le congrès
ayant été opportunément reporté, Chen aura le temps de
préparer la défense idéologique de son chef. Le premier
d'une longue série d'articles sur ce thème paraît en
juillet 1938. L'année suivante, Chen entreprend de dissé-
quer les écrits de Mao afin de démontrer que celui-ci a
dépassé les démarches du penseur et de l'activiste pour
accéder à la fonction cruciale de « théoricien ». Mao, con-

clut-il, est à la révolution communiste ce que Confucius a été au régime « féodal » des Zhou, au Ier millénaire av. J.-C. : comme le sage dans ses traités, il a capturé l'« essence » idéologique d'une ère historique dans son rapport de 1927 sur le Hunan.

Pendant que Chen Boda jette les bases de sa prééminence idéologique, Mao s'occupe de l'intendance. Sur le plan économique, le Shaanxi ne ressemble à rien de ce qu'il a connu auparavant ; l'ingéniosité communiste s'y heurte à une pauvreté inouïe qu'exacerbent la guerre et un blocus partiel du Guomindang. Les chefs de la base de Yan'an importeront parfois de la main-d'œuvre pour défricher des terres ou faire avancer certains grands chantiers d'irrigation afin de gonfler les statistiques de développement de la région. Sur le plan politique, il faut gérer l'afflux des recrues et mettre au point des outils idéologiques pour mesurer et développer leur loyauté.

Les rapports crispés de Mao avec les autres dirigeants du Parti ne sont pas améliorés par les péripéties de sa vie privée. N'en déplaise aux observateurs de passage, sa vie de famille n'a rien d'idyllique. Une tension palpable règne dans la caverne de roman. Une sixième grossesse, en 1937, fait déborder le vase. Zizhen annonce à Mao son intention d'aller à Shanghai pour avorter dans un bon hôpital et faire extraire les éclats d'obus enkystés dans sa chair. La prise de la ville par les Japonais ne la fait pas changer d'idée, seulement de destination : c'est qu'elle soupçonne son mari de regarder ailleurs. Mao, qui ne peut — ou ne veut — pas l'empêcher de partir, l'autorise à se faire soigner en Union soviétique. À Moscou, elle décide de garder l'enfant, mais il mourra de pneumonie quelques mois après sa naissance, au début de 1938. À la même époque, Mao lui confie leur fille Li Min, alors âgée de deux ans. Zizhen, qui a pris sous son aile les fils de Kaihui envoyés là-bas en 1936, officiellement pour des raisons de sécurité, se retrouve ainsi avec trois enfants à charge. Libre de toute entrave familiale, Mao emménage avec Jiang Qing, une jeune actrice de 24 ans originaire du Shandong, qui est arrivée à Yan'an avec les recrues étudiantes du début de la guerre ; cette liaison déplaît à beaucoup de chefs communistes, qui aimaient et admiraient Zizhen. En 1940, Jiang Qing accouchera d'une fille, Li Na, qui grandira à Yan'an. Elle est la dernière des quatre enfants de Mao et de ses trois compagnes qui ont survécu jusqu'à l'âge adulte, à notre connaissance : les six autres sont morts ou ont disparu.

Si les critiques se taisent, intimidés, les faits témoignent éloquemment de la volonté de puissance qui habite désormais Mao. De plus en plus rigide, l'homme cherche à plier son entourage à ses caprices et à ses croyances. La vie austère qu'il a menée par nécessité, puis par choix, il s'en vante à présent et prétend même forcer tout le monde à l'imiter. Oubliée, la fascination qu'il éprouvait dans sa jeunesse

pour les aspects les plus subtils de la civilisation chinoise ;
il n'éprouve plus qu'amertume et irritation à l'égard de la
culture des lettrés et des traditions esthétiques classiques.
Réaction à l'opposition tenace des ex-stagiaires soviétiques,
tous plus instruits que lui ? Vieille rancune contre les intellectuels pékinois qui snobaient le jeune commis de bibliothèque ? Ou contre ses condisciples de l'école normale, si
cruels à l'égard de leur camarade paysan qu'il en était
venu à passer une petite annonce pour se trouver des
amis ? A-t-il appris de Chen Boda à monter les intellectuels
les uns contre les autres, à les diviser pour mieux les
manipuler ? S'est-il dégoûté de l'humanité pour avoir ren-
contré trop d'hommes sans honneur ? A-t-il le sentiment
que les réfugiés des grandes villes qu'il accueille à Yan'an
n'égalent pas les paysans en dignité et en courage ? Ce qui
est sûr, c'est qu'il cultive la grossièreté devant ses visiteurs.
Il joue au paysan ignare, déboucle sa ceinture pour
s'épouiller la toison en pleine conversation, s'allonge et se
déculotte pendant une entrevue pour avoir moins chaud.
La rumeur de sa « rage intense et fulminante » commence
à courir. Un jeune critique chinois, plus brave que la plupart, dénonce la « désolation » spirituelle qui enveloppe
peu à peu Yan'an et les puissances obscures qui en chassent
la lumière.

Pour Mao, le pouvoir, c'est aussi la liberté de sermonner
les autres à satiété (la sienne) : antithèse absolue de la vé-

ritable pédagogie, de la mission d'éducation qu'il avait élue. Il ne fait plus d'enquêtes sur la condition paysanne ; il les fait faire et emploie leurs résultats pour conforter sa théorie. Sur un point au moins, l'avenir lui a donné raison : la victoire était au bout du fusil. Le PCC est sorti de la guerre beaucoup plus fort et plus habile à mobiliser les masses paysannes et à manipuler les esprits grâce à une propagande bien dosée — technique que Mao avait apprise au Guomindang.

Mao disserte donc à loisir devant les intellectuels. De quoi ? De *leur* histoire et de *leur* civilisation, mais du point de vue de *son* expérience révolutionnaire. Le 1ᵉʳ février 1942, par exemple, il inaugure la nouvelle école centrale du Parti par une conférence sur le sens du savoir et de l'étude. Son entrée en matière n'invite pas les cadres et les intellectuels présents à une franche discussion : « La ligne générale du Parti est correcte et incontestable. » En matière de marxisme-léninisme, « un grand nombre de soi-disant intellectuels sont des ignorants ». Ils doivent comprendre que « le savoir des travailleurs et des paysans dépasse parfois le leur ». Et Mao d'inviter ses auditeurs instruits à cultiver l'humilité et à reconnaître que le savoir livresque en soi et pour soi est insignifiant : seuls les discours ancrés dans l'expérience concrète ont un sens. « Les livres ne marchent pas, on peut les ouvrir et les refermer à son gré ; c'est la chose la plus facile du monde, nettement plus facile que de cuisiner un repas et beaucoup plus que de tuer un cochon. »

De plus en plus convaincu de la justesse de sa position, Mao prépare en fait la mise au pas des orthodoxes et autres dissidents. En mai 1942, il prend à nouveau la parole devant des intellectuels et leur offre de dialoguer avec lui. Plutôt qu'à un échange de vues, ils auront droit à un nouveau sermon les exhortant à s'identifier au prolétariat et aux masses au lieu d'essayer de les instruire et de les arracher à leur condition — les deux grandes ambitions de jeunesse de l'orateur. Reniant ce qu'il pensait et écrivait alors, Mao condamne ceux qui croient pouvoir isoler l'«amour» de sa réalité de classe, qui le cherchent «dans l'abstrait» ou qui pensent que «tout devrait découler de l'amour». De même que l'amour est inséparable de la classe, de même la «vie du peuple» constitue la «seule source» de la littérature et de l'art, et la chanson populaire, la véritable inspiration des musiciens. La différence entre le faux et le vrai, l'ancien et le nouveau, est aussi petite et aussi grande que la distance entre les «mansardes de Shanghai» et les bases révolutionnaires que beaucoup de ses auditeurs ont récemment parcourue.

Durant les mois suivants, les intellectuels, divisés en petits groupes, sont contraints de faire leur autocritique et de repenser le passé en termes «maoïstes» afin de ne plus dévier de la ligne «correcte» à l'avenir. Ceux qui s'y

refusent sont punis. Les actes de violence gratuite se mul-
tiplient ; beaucoup perdront la vie dans les affrontements
de cette «opération de salut public» supervisée par les
troupes sans cesse plus nombreuses du service de sécurité
du président.

Pendant que Mao attend à l'abri des combats, à l'est de
son sanctuaire, les communistes s'épuisent à protéger leurs
partisans des effroyables représailles japonaises. Dans la
vallée du Yangzi, ils se font exterminer par le Guomindang.
Lorsque les Américains se présentent à Yan'an pour tenter
d'intégrer les forces communistes à leur stratégie antijaponaise, ils sont séduits par la bonhomie et le rire conta-
gieux de leur hôte. Mao n'a guère de mal à les convaincre
de lui fournir du matériel et des fonds en opposant le caractère «démocratique» de son organisation paysanne à la
tyrannie des seigneurs de Chongqing. Au fil des mois et des
hasards de la guerre, son pouvoir et son influence font
tache d'huile.

À partir de 1943, un véritable «culte» lui est rendu à
Yan'an. Au mois de mai, il assume deux fonctions aux titres
inédits dans l'appareil communiste : président du comité
central et président du Politburo. Le secrétaire général du
Parti proclame que la Chine possède en Mao un vrai chef
révolutionnaire, qui «a donné la preuve de sa grandeur et
de sa force » ; il doit être considéré comme la figure centrale
de l'histoire révolutionnaire. À l'avenir, le peuple chinois

devra « s'armer de la pensée du camarade Mao Zedong et employer son système pour rectifier les idées (erronées) du Parti ». Tous les chefs communistes font chorus — la modération n'est plus de saison. L'homme qui avait le plus durement contesté Mao à Zunyi salue « le timonier de la Révolution chinoise ». L'unanimité n'est pas moins parfaite dans la dénonciation, orchestrée par Chen Boda, des prétentions de Chiang Kai-chek à parler au nom du peuple chinois. À la fin de 1943, un petit groupe de cadres commence à réécrire l'histoire du Parti autour de la figure de Mao. Ses rivaux passés et présents sont dénigrés, leurs erreurs idéologiques dénoncées, tandis que la prescience du héros devient de plus en plus précoce.

Le septième congrès du Parti eut finalement lieu de la fin d'avril à la mi-juin 1945, dans les derniers jours de la guerre. Mao y fit un discours sur l'avenir de la Chine. Il y exprima des regrets pour les brimades infligées à des membres du Parti : beaucoup en étaient morts ou s'étaient suicidés pour y échapper. Les nouveaux statuts présentés au congrès consacrèrent son triomphe. Aussi inédit dans la forme que dans le fond, leur préambule proclamait sans détour : « Le Parti communiste chinois adopte la pensée de Mao Zedong — pensée qui unit la théorie marxiste-léniniste à la pratique de la Révolution chinoise — comme guide dans tous ses travaux et s'oppose à toute déviation dogmatique ou empiriste. » Le marxisme est sinisé : le chef *est* le sage.

CHAPITRE 8

Au pouvoir

AU MILIEU DE L'ÉTÉ 1945, personne en Chine ne pressent l'imminence de la reddition japonaise. De crainte d'une fuite nationaliste ou d'une trahison communiste, les Américains ont caché à leurs alliés chinois la mise au point de la bombe atomique. Et à vrai dire, qui aurait pu prédire que les bombardements de Hiroshima, le 6 août, et de Nagasaki, le 9, entraîneraient la capitulation des armées impériales le 14 ? Nationalistes et communistes n'en sont pas moins prêts à cette éventualité aussi. Les premiers prévoient de marcher vers l'est jusqu'à Canton, utilisant comme fer de lance des divisions d'élite entraînées par les Américains, puis de remonter vers le nord jusqu'à Shanghai et Nanjing dans une réédition de l'expédition de réunification nationale de 1927-1928. Les seconds veulent élargir leur emprise territoriale dans le Nord, y accélérer la réforme agraire et la mobilisation populaire, renforcer les

structures du Parti dans le Shandong et le Hebei et noyau-
ter les agglomérations urbaines. Ni les uns ni les autres
n'imaginent que la Mandchourie, région qui échappe presque complètement à leur influence, sera la clé de la victoire
finale. À Yalta, Staline a promis à Roosevelt et à Churchill
qu'il attaquerait le Mandchoukouo trois mois après la reddition de l'Allemagne. Les Chinois n'en ont pas été informés, là encore pour des raisons de sécurité. L'armée
soviétique s'ébranle le 8 août, trois mois jour pour jour
après la chute du Troisième Reich, le 8 mai 1945. Et le destin de la Chine bascule, pour des raisons essentiellement
géographiques.

Solidement implantés dans la région de Yan'an et
autour de la triple frontière du Shanxi, du Chahar et du
Hebei, très actifs dans le Shandong, les communistes peuvent en effet acheminer des troupes en Mandchourie plus
facilement que les nationalistes. Mao mesure clairement
l'immense risque d'une invasion, mais l'enjeu justifie
bien des sacrifices : cette vaste région, relativement peu
peuplée au regard du reste du pays, lui procurerait du
bois et du minerai en surabondance. Dès qu'ils appren-
nent la reddition japonaise, les communistes entrent en
Mandchourie. Ils occupent le terrain d'autant plus aisément que les troupes soviétiques leur laissent le champ
libre. Ils s'emparent ainsi sans coup férir des énormes
stocks d'armes et de munitions constitués par les Japonais

à Kalgan, un important nœud ferroviaire du Chahar, au sud de la Grande Muraille. Les Soviétiques se retirent de plusieurs villes de Mongolie intérieure prises aux Japonais pour permettre aux Chinois d'y entrer sans combat. Ici et là, ils vont jusqu'à remettre directement à leurs camarades chinois les armes et les véhicules pris à l'ennemi. Dans au moins un cas, les deux armées attaqueront ensemble une ville frontalière stratégique. L'aide logistique russe n'est pas moins généreuse : une centaine de milliers de soldats chinois et environ 50 000 commissaires politiques seront transportés par air ou par mer du Shandong et du nord du Jiangsu jusqu'en Mandchourie du Sud. Ces renforts permettront aux communistes chinois de prendre et d'occuper plusieurs grandes villes.

Des chiffres divulgués plus tard par Moscou permettent d'apprécier l'ampleur de ces livraisons : 740 000 fusils, 18 000 mitrailleuses, 800 avions, 4000 pièces d'artillerie. Mais les nationalistes en récolteront autant dans le reste de la Chine. Et le soutien logistique soviétique n'est qu'une riposte au gigantesque pont aérien et maritime organisé par les Américains pour endiguer une éventuelle attaque communiste dans le Nord. À la fin de septembre 1945, deux divisions de Marines, 53 000 hommes en tout, tiennent une grande partie de la côte septentrionale. Pour compléter le verrouillage, on a laissé leurs armes aux troupes japonaises qui occupaient certains secteurs.

Entre temps, Mao a accepté d'accompagner à Chongqing l'ambassadeur des États-Unis, Patrick Hurley : décision qui témoigne d'un réel courage et, peut-être, d'une
certaine ouverture d'esprit. Arrivé à la fin d'août, il restera
au quartier général nationaliste jusqu'au mois d'octobre. Il
y revoit Chiang Kai-chek, pour la première fois, sans doute,
depuis leurs rencontres de 1926 à Canton dans le cadre des
préparatifs de l'expédition vers le nord. Les deux hommes
conviennent de fusionner leurs armées, sans toutefois se
fixer d'échéancier. Mao promet de retirer du sud de la
Chine les troupes communistes qui s'y trouvent encore. On
envisage de confier à la « Conférence consultative » jadis
créée par les deux partis un mandat de réflexion à plus
long terme. Pendant ce temps, l'escalade militaire se pour-
suit. Personne ne cherchera sérieusement à la freiner.

En décembre 1945, Mao dévoile une stratégie d'occupation systématique qui doit soumettre dans l'année toute la
Mandchourie à l'exception du sud. Cette bataille, qu'il pré-
voit « acharnée », aura pour théâtre les campagnes à l'écart
des villes et des voies de communication afin de réduire les
risques de représailles nationalistes, et pour objectif la
constitution de viviers de recrutement pour l'armée communiste. Les moyens envisagés sont politiques : travail
idéologique auprès des populations et réforme agraire
mesurée, dont les buts affichés — « régler leur compte aux
traîtres », diminuer les loyers, augmenter les salaires —

vaudront au Parti le maximum d'appuis dans la population. Mao tient à ce que le communisme procure « des
avantages tangibles aux peuples du Nord-Est » pour éviter
que « la propagande trompeuse du Guomindang ne parvienne à les monter contre nous ». Pour le reste du pays, il
n'exclut rien. Quand, sur ordre du président Truman, le
général George Marshall tente d'activer les pourparlers,
Mao exhorte ses camarades à ne pas rejeter d'emblée une
solution négociée par haine aveugle du Guomindang.

Marshall n'obtiendra qu'une reprise sans lendemain de
la Conférence consultative. L'échec de sa mission provoque
une recrudescence des combats en Mandchourie. Les communistes perdent plusieurs bases dans le sud de la région,
mais s'arc-boutent dans le Nord. La stratégie de Mao fonc-
tionne bien en Mandchourie. Dans le nord de la Chine, en
revanche, la réforme agraire qu'il voulait mesurée sombre
dans la violence. Les propriétaires sont massacrés, leurs
biens saisis, leurs terres réparties de manière ultra-égali-
taire entre les paysans. Cet « extrémisme » suscite un large
débat au sein de la direction du Parti, mais rien de concret
n'est entrepris pour l'endiguer. Les organes de propagande
procommunistes s'intéressent davantage aux bavures sus-
ceptibles de ternir l'image du Guomindang et de ses alliés
américains : le meurtre de Wen Yiduo, grand poète, fin lettré et opposant déclaré à Chiang Kai-chek, peu après qu'il
eut prononcé un discours passionné en hommage à un ami

assassiné lui aussi pour des motifs politiques ; le viol d'une étudiante de Beijing par deux soldats américains. Cette dernière affaire est d'autant plus facile à exploiter que les autorités ont tenté de l'étouffer. Dans les journaux et sur les banderoles des gigantesques manifestations étudiantes, la jeune femme est identifiée à la malheureuse Chine livrée aux exactions des forces capitalistes et impérialistes.

Malgré leurs difficultés en Mandchourie, les armées nationalistes parviennent à encercler la base de Yan'an. En mars 1947, elle tombe entre leurs mains. Victoire purement symbolique : le gros des troupes communistes et tous leurs chefs encore sur place ont eu largement le temps de se replier vers le nord. Avant de quitter Yan'an avec Jiang Qing et leur fille Li Na, Mao a été rejoint par l'aîné des fils de Yang Kaihui. Âgé de 24 ans, Anying est rentré d'Union soviétique l'année précédente. À Yan'an, il s'est épris d'une jeune femme dont le père avait été tué par des seigneurs de la guerre, comme sa mère à lui. Ils se marieront en 1949. Anqing, He Zizhen et sa fille Li Min rentreront en Chine en 1947. Il ira à Harbin. Elle se rendra à Shanghai par ses propres moyens, sans revoir Mao.

En septembre 1947, Mao diffuse de son quartier général du Shaanxi un document qui deviendra une référence capitale sur sa pensée militaire : il y consigne les principes qui le guident dans la conduite de la guerre civile. Une semaine après Hiroshima, il avait décidé que la bombe

atomique ne constituait pas un avantage décisif, contraire-
ment à ce que certains voulaient croire ; en août 1946, il
avait même déclaré à un journaliste américain qu'il la con-
sidérait comme un « tigre de papier », plus terrible en apparence qu'en réalité. Sa proclamation de septembre 1947
annonce une « contre-offensive nationale » visant à arracher au Guomindang l'initiative des opérations. En clair,
les communistes passent de la défense à l'attaque. Lorsqu'ils pénétreront en territoire nationaliste, ils devront éli-
miner l'ennemi et s'emparer de ses stocks d'armes ; ensuite
seulement, consolider leur emprise et préparer leurs pro-
chaines attaques. Mao applique des règles simples, mais
efficaces, tirées de sa propre expérience : ne jamais livrer
bataille sans préparation ; ne jamais engager le combat si
on n'est pas absolument sûr de le gagner ; une fois qu'il est
engagé, ne jamais donner à l'ennemi le temps de se réorganiser ; utiliser sur-le-champ toutes les armes prises à l'adversaire et renvoyer au combat au moins 80 p. 100 des soldats
capturés (sans leurs officiers) ; s'approvisionner uniquement
chez l'ennemi, jamais dans d'autres bases communistes ;
faire la réforme agraire dans tous les territoires libérés.

Le succès est phénoménal. Un an après le début de leur
offensive, les communistes, maîtres de la Mandchourie,
marchent vers le sud. Démoralisées, les armées nationalistes se débandent. Écœurée du chaos financier provoqué
par la hausse constante des prix, dégoûtée de la répression

contre les dissidents, la population fait bon accueil aux communistes; ils peuvent donc repartir très vite à l'attaque. En janvier 1949, ils sont à Beijing, en avril à Nanjing, en mai à Shanghai, en août à Changsha. Le 1ᵉʳ octobre, seule Canton leur échappe encore, mais elle est encerclée. À Beijing, les membres de la direction du Parti présents dans la région se rassemblent sur une estrade érigée en haut de la grande porte de Tienanmen, au sud de la Cité interdite. Tandis que quelques avions des forces aériennes chinoises tournent dans le ciel, Mao s'approche d'un bouquet de micros et proclame la naissance de la République populaire de Chine.

Quelques semaines plus tard, il effectue sa première sortie à l'étranger. Au programme, une rencontre avec un homme dont il s'est beaucoup inspiré, mais qui aurait pu causer sa perte: Joseph Staline. Lorsqu'il part pour Moscou, en décembre 1949, la victoire communiste est complète, la ruine de la Chine également. Beaucoup de régions n'ont connu que la guerre ou l'occupation depuis près de 40 ans — exactions des potentats locaux, guérilla communiste, répression nationaliste, invasion japonaise. L'anarchie administrative n'a d'égale que la pagaille économique: plus de monnaie stable, parfois plus de monnaie du tout, une inflation déchaînée, des communications désorganisées, des voies ferrées en pièces détachées, des ports et des rivières transformés en cimetières marins. La guerre a déplacé des millions de civils. L'Armée rouge a intégré des centaines de milliers de soldats nationalistes sans pouvoir vérifier leurs antécédents. Dans les écoles et les universités, les bâtiments s'écroulent, les livres manquent, les incompétentes créatures des nationalistes pullulent. Partout, la chasse aux collaborateurs a aigri le climat. Dans les villes où le Guomindang a succédé aux Japonais, corruption, pillages, représailles et spoliation ont fait cortège au libérateur.

Aux frontières couve une menace à peine moins grave. Dans l'Ouest, le Xinjiang musulman, région de forte tradition autonomiste, est aux mains d'un gouverneur militaire qui a beaucoup flotté pendant la guerre entre la dépendance servile à l'égard de l'Union soviétique et la feinte soumission aux nationalistes ; l'un de ses revirements a coûté la vie au dernier frère vivant de Mao, Zemin, exécuté en 1943. La Mongolie a proclamé une indépendance qui l'a fait basculer dans l'orbite soviétique. Le Tibet s'est si largement émancipé depuis une vingtaine d'années que la Chine n'y a plus qu'une alternative : occupation militaire ou négociation de l'indépendance avec le jeune et ambitieux dalaï lama. Mao plaidait pour l'autonomie politique des Mongols, des Tibétains et des musulmans… en d'autres temps. Privés de leurs concessions à Shanghai en 1943, Français et Britanniques se sont consolés, les premiers en renforçant leur emprise dans le Sud-Est asiatique, les seconds en réoccupant Hong Kong avec l'assentiment du Guomindang.

Taïwan est sous la coupe de Chiang Kai-chek, qui y a installé son quartier général et sa capitale provisoire en attendant son retour sur le continent. Pour reprendre cette
île-forteresse, les communistes devraient attaquer par mer
et par air avec des moyens énormes.

Conservés à Moscou, les procès-verbaux russes des conversations privées entre Mao et Staline ont échappé au zèle
des censeurs chinois. Nous lisons entre leurs lignes ce que
les deux hommes ont dû ressentir en se retrouvant face à
face. Mao a sans doute été intimidé par l'écrasante personnalité de son interlocuteur : un père de la Révolution russe,
un proche de Lénine, le fondateur de l'État soviétique cen-
tralisé et autocratique, le créateur de son appareil policier,
le guide et l'inspirateur de la résistance russe à l'invasion
allemande, l'architecte de l'expansion communiste en
Europe orientale. Les communistes et leurs compagnons
de route étaient tenus de lire son abondante production
historique et analytique ; Mao lui-même, comme tant
d'autres, s'y était plongé à Yan'an et s'était interrogé sur sa
valeur dans le contexte chinois. Pour Staline, Mao était
une quantité inconnue, un autodidacte rebelle aux mots
d'ordre de l'Union soviétique, mais aussi un leader tenace,
capable de remporter la plus improbable des victoires et
de faire basculer dans l'orbite communiste le pays le plus
peuplé de la planète. Impossible de ne pas respecter cet
homme-là.

Premier entretien le 16 décembre 1949. Après les plaisan-
teries d'usage, Mao explique que la Chine a besoin de
« trois à cinq ans de paix » pour « relever l'économie et sta-
biliser la situation ». Que pense Staline des chances de paix
à l'échelle mondiale ? Le leader soviétique élude : la Chine
veut la paix, le Japon n'est pas en mesure de la rompre, les
États-Unis et l'Europe ont « peur » de reprendre les armes.
Il ne se trouvera donc personne pour attaquer la Chine,
sauf si le Nord-Coréen Kim Il sung décide de l'envahir.

À propos du traité sino-soviétique signé en 1945 par Staline et Chiang Kai-chek, on convient tacitement de laisser
les choses en l'état afin de ne donner aux Américains et aux
Britanniques aucun prétexte pour modifier leurs propres
ententes avec l'URSS. Dans la pratique, les Russes retire-
ront leurs troupes de Port-Arthur dès que les Chinois leur
en feront la demande et leur céderont le contrôle de la
ligne ferroviaire transmandchourienne. Accord parfait sur
l'aide économique : l'Union soviétique ouvrira un crédit de
300 millions de dollars US à la Chine et l'aidera à développer son transport aérien intérieur et sa marine. Petit couac
sur la question taïwanaise : Mao réclame l'envoi secret de
pilotes volontaires ou de détachements militaires, Staline
n'accepte de prêter que des instructeurs et des officiers
d'état-major ; il recommande d'infiltrer dans l'île des équipes de propagande pour préparer une insurrection populaire. Suggestion bien stalinienne à propos de Hong Kong :

que Mao fomente des conflits entre le Guangdong et la colonie britannique, puis s'entremette afin de rehausser son prestige international. L'harmonie redevient complète sur la question des entreprises et des écoles étrangères : une surveillance étroite s'impose, estiment les deux chefs. Le Soviétique souhaite par ailleurs que la Chine développe l'extraction de métaux rares — il mentionne le tungstène et le molybdène — et se dote d'un réseau d'oléoducs. Le Chinois réitère qu'il doit d'abord savoir à quoi s'en tenir sur les chances d'une paix durable. C'est ce qui détermi-nera, par exemple, si les investissements industriels iront aux centres côtiers existants ou à des sites neufs à l'inté-rieur des terres.

Les questions idéologiques ont été gardées pour le des-sert. La teneur de ces échanges donne à penser que Staline était conscient d'avoir en face de lui un prétendant au sta-tut de théoricien de la révolution. Il aborde le sujet en demandant à brûle-pourpoint une liste des ouvrages que Mao souhaite faire traduire en russe. La question prend son vis-à-vis de court : « Mes œuvres ont été publiées par diverses petites maisons d'édition », réplique-t-il. Il est « en train de les réviser, car elles sont truffées d'erreurs ». Il compte en avoir terminé au printemps prochain, mais apprécierait que les Soviétiques l'aident non seulement à traduire, mais aussi « à réviser l'original chinois ». Staline est interloqué : « Vos œuvres ont besoin d'une révision ? »

Sur confirmation de l'auteur, il répond : «Cela peut se faire, si c'est vraiment nécessaire.»

Tout au long de ces entretiens, Mao ne peut compter que sur lui-même ; seul un interprète l'accompagne. Lorsqu'il reverra Staline, le 22 janvier 1950 — pour la deuxième et dernière fois —, il sera épaulé par un petit groupe de conseillers de haut niveau, dont Zhou Enlai et Chen Boda, l'idéologue de Yan'an. En marge de sa production polémique et historique, Chen vient justement de publier un ouvrage sur la contribution de Staline à la Révolution chinoise. Il est du voyage pour protéger Mao des chausse-trapes idéologiques, mais peut-être aussi pour restreindre une exubérance naturelle qui pourrait mener son chef trop loin au goût des camarades restés à Beijing. Face à cette délégation-là, les Soviétiques s'en tiennent à une stricte neutralité : nature et montant des aides, taux d'intérêt et autres broutilles techniques. Seule la question tibétaine parvient à faire sortir Staline de sa réserve. Mao ayant demandé à conserver un détachement d'aviation qui lui a déjà permis de convoyer plus de 10 000 hommes afin d'approvisionner les troupes «se préparant à attaquer le Tibet», le leader soviétique s'exclame : «Vous avez raison d'y aller, les Tibétains doivent être matés», mais refuse de se commettre avant d'avoir consulté ses experts militaires. Au terme de ces entretiens, Mao rentre chez lui pour diriger le travail de reconstruction, laissant des représentants

négocier les derniers détails du traité d'amitié sino-soviétique. Il n'a pas pipé mot quand Staline lui a crûment
déclaré que les Soviétiques considéraient l'économie chinoise comme un champ de ruines. En 1950, la direction du
Parti s'attelle à une tâche herculéenne : bâtir un régime
politique stable et un système économique viable sur ce
champ de ruines. Pour accélérer la réforme agraire, des
légions de jeunes sommairement formés sont dépêchées
aux quatre coins du pays. L'administration publique nationale est réorganisée sur une base territoriale, et la supervision
de chaque région confiée à des commissions d'idéologues,
de bureaucrates et de militaires. Des ministères nouveaux
prennent en charge la défense nationale et le développement industriel. Les établissements d'enseignement, la
presse écrite et la radio sont placés sous la tutelle directe de
l'État afin de préserver la cohérence idéologique du discours
public. Le réseau ferroviaire est reconstruit et développ-
pé. Des négociations sont amorcées avec les propriétaires
chinois ou étrangers des usines nationalisables. La population civile est désarmée et purgée de ses éléments « contre-
révolutionnaires ».

Le Parti ne montre pas moins d'énergie sur le front de la
moralité publique. Il force les maisons closes à s'immatricu-
ler, puis les ferme et expédie leurs pensionnaires dans des
écoles de rééducation. Les opiomanes sont tenus de se décla-
rer aux autorités, qui leur imposent une désintoxication

par étapes sous la surveillance de l'État et de leur famille ; la culture du pavot somnifère est contrôlée, les revendeurs d'opium sont incarcérés ou exécutés. Sur le plan culturel, Mao prend une décision lourde de conséquences. À la fin de 1948, avant de commencer à bombarder Beijing, les chefs de l'artillerie communiste avaient demandé — et obtenu — une liste des chefs-d'œuvre de la capitale donnant leur emplacement exact. Pour les protéger. Cette louable précaution a donné des espérances aux défenseurs du patrimoine, et un expert en histoire de l'art s'est empressé de soumettre aux nouveaux maîtres de Beijing un projet fabuleux : couvrir de jardins le sommet des splendides murailles de la vieille ville et interdire toute construction à l'intérieur des murs. L'activité industrielle serait concentrée en périphérie, et la bureaucratie communiste, sans cesse plus nombreuse, logée dans une ville nouvelle. Informé du projet, Mao refuse net, laissant entendre d'un ample mouvement de bras qu'il verrait volontiers les toits de l'ancienne cité disparaître derrière un rideau de cheminées puisque cela témoignerait du décollage économique du pays. Au cours des années suivantes, les magnifiques fortifications seront sacrifiées à un réseau de boulevards périphériques. À l'intérieur de la ville, les usines pousseront comme des champignons. Les abords du palais impérial seront épargnés, et il conservera la vocation de musée national que lui avait assignée la première république, mais le quartier qui jouxtait la Cité interdite du côté sud sera rasé pour faire place à un gigantesque square entouré de cubes de béton abritant les salles de réunion et officines de l'Administration : nef d'un million de places pour les grand-messes du régime.

La haute direction du Parti s'est réservé Zhongnanhai, un quartier ceint de hauts murs qui se déploie autour d'une ravissante pièce d'eau au sud-ouest de la Cité inter-dite. C'est dans ce lieu étroitement surveillé, en bordure du parc où il avait courtisé Yang Kaihui 30 ans plus tôt, que Mao recommence à mener une vie de famille à peu près normale pour la première fois, sans doute, depuis 1923. Il se remet à la natation dans la piscine couverte qu'on lui a aménagée, suit les progrès en lecture de ses filles Li Min et Li Na, inscrites dans une école primaire du quartier. Son fils aîné Anying est marié, mais n'a pas encore d'enfant ; il travaille dans une usine de la ville. Le cadet Anqing est toujours célibataire. On doit parfois l'hospitaliser pour traiter certaines séquelles des épreuves vécues à Shanghai. Une fois par semaine, la famille passe la soirée à danser sur de vieux airs de valse et de fox-trot. Parfois, on regarde un film. Mao passe aussi beaucoup de temps dans la bibliothè-que où il a enfin pu rassembler sa collection.

Quand on pense à tout ce qui restait à faire en Chine, il paraît inconcevable que Mao ait pu désirer la guerre de Corée. En décembre 1949, il a interrogé Staline directement sur les chances de paix dans le monde ; en janvier 1950, il a récidivé de manière détournée en insistant pour que l'Union soviétique consulte la Chine sur toutes les « questions internationales ». Chaque fois, Staline lui a caché ce qu'il tramait avec Kim Il sung. Pourtant, dès le mois de mars 1950, Mao en sait ou en devine assez pour exprimer son soutien à l'ambassadeur de la Corée du Nord et lui faire miroiter une intervention militaire chinoise. Il évalue alors la situation à la lumière de sa propre expérience de la guerre : une guérilla de paysans mal armés et peu entraînés qui a pourtant triomphé de la puissante armée japonaise. Insensible à la menace atomique, ce « tigre de papier », il croit — et dit aux Coréens — que les Américains n'interviendront pas. Lorsque les États-Unis mobilisent à la fin de juin en réponse à l'agression nord-coréenne, il présume comme beaucoup de commandants communistes que ces Occidentaux dépourvus de motivation politique, prisonniers d'un code militaire très strict, ne sauront appliquer que des « tactiques mécaniques et sans imagination ». Et puis, ils ont « peur de mourir » et se fient bien trop à leur puissance de feu. Quel contraste avec les troupes chinoises fortement politisées, légères, capables d'improviser, « bien entraînées aux combats de nuit, au corps à corps, aux assauts en terrain montagneux, aux charges à la baïonnette » !

On commence à préparer l'envoi d'un important corps de « volontaires », mais l'été et le début de l'automne passent sans qu'un soldat chinois foule le sol coréen. C'est qu'un vif débat oppose Mao aux autres dirigeants politiques et militaires du pays. Les politiques veulent d'abord arracher aux Soviétiques des garanties de soutien logistique et d'approvisionnement en véhicules, en armes et en munitions. Certains s'inquiètent des effets de cette nouvelle guerre sur la reconstruction économique, craignent que l'opinion publique ne se lasse. La différence de moyens en impressionne plus d'un : la Chine a produit 610 000 tonnes de fer et d'acier l'année précédente ; les États-Unis en ont coulé 87,7 millions de tonnes ! Lin Biao, le commandant en chef de la brillante campagne de Mandchourie, estime pour sa part que l'étroite péninsule coréenne est un terrain bien mal choisi pour une armée dépourvue de soutien naval et aérien. Mao n'a qu'un argument à opposer à ces inquiétudes : la Chine *doit* intervenir pour assurer la sécurité de ses frontières et sauver un régime communiste voisin et allié. Il est tellement convaincu de la justesse de sa cause et de la supériorité de son armée qu'il finit par l'emporter. Staline fait traîner les choses encore quelque temps par ses hésitations sur l'ampleur de l'aide militaire et de la couverture aérienne soviétiques. Il refusera de risquer ses avions en Corée et les cantonnera dans des missions de défense côtière en Chine. Enfin, dans la nuit du 19 octobre, les « volontaires » chinois pénètrent en Corée sous le commandement d'un officier chevronné, le général Peng Dehuai, tous feux éteints et dans un silence radio total. L'avant-garde a revêtu des uniformes nord-coréens.

Le fils aîné de Mao était l'un des rares vrais volontaires de cette armée ; il en fut l'une des premières victimes. Il s'était enrôlé avec la bénédiction de son père et avait sollicité un poste de commandement dans l'infanterie. Peng l'avait affecté à son état-major comme interprète pour ne pas l'exposer. Mao Anying mourut le 24 octobre 1950 dans l'explosion d'une bombe incendiaire américano-onusienne. Il avait 28 ans. Personne n'osant en informer son père, il fut enterré en Corée du Nord comme les autres soldats tombés au front. Lorsque Peng Dehuai l'apprit à Mao, celui-ci décida de laisser le corps reposer en sol coréen à titre d'exemple pour le peuple chinois. On ne lui connaît que deux déclarations sur la mort de son fils, aussi elliptiques l'une que l'autre : « La guerre impose le sacrifice. Sans sacrifice, la victoire n'est pas possible. Tous les parents du monde chérissent leurs enfants. » Et : « Nous comprenons le pourquoi et le comment de ces choses. Tant de gens ont vu couler le sang de leurs enfants, sacrifiés à la révolution. » Mao suivit avec attention les combats acharnés qui marquèrent la première phase de la campagne, multipliant les instructions et suggestions aux commandants militaires ; en parallèle, il réfléchissait aux usages politiques qu'il pourrait faire de ce conflit. L'expérience lui avait appris à manipuler les émotions populaires, à exalter la ferveur politique des ouvriers, des étudiants, des paysans. Sur son ordre, les organes de propagande du Parti montèrent une gigantesque campagne de mobilisation intérieure sur le thème : «Aidons la Corée, résistons à l'Amérique.» Les Chinois furent invités à faire plus de sacrifices, à surveiller plus étroitement leur comportement et celui de leurs concitoyens, à affermir leur attachement au Parti communiste. Quand l'offensive chinoise s'enlisa, on appela la population à dénoncer les contre-révolutionnaires, les espions et, pour faire bonne mesure, les capitalistes et les bureaucrates corrompus. Mao, instigateur et orchestrateur de la guerre en Corée, assuma les mêmes rôles manichéens dans cette campagne de délation domestique. Sa propagande ciblait des personnes, mais d'une manière si abstraite et codifiée que la majorité pouvait légitimement croire qu'elle aurait la paix dès lors qu'elle aurait fourni un contingent suffisant de victimes. La peur étouffait les scrupules de conscience. Mao était toujours entouré de révolutionnaires expérimentés et puissants, mais même les plus brillants d'entre eux n'arrivaient qu'à grand-peine à entamer l'épaisse carapace dont il avait enveloppé son univers imaginaire.

CHAPITRE 9

La tour d'ivoire

L A GUERRE DE CORÉE S'ACHEVA en 1953 par un traité qui modifiait à peine la frontière entre les deux moitiés du pays. Aussitôt après, la Chine se lança dans un ambitieux programme de reconstruction nationale. Organisé à la manière d'un plan quinquennal soviétique, il privilégiait l'industrie lourde, en particulier la production sidérurgique et minière, au détriment de la consommation et de l'agriculture. Les paysans furent contraints de vendre leur récolte à l'État à des prix inférieurs à ceux du marché pour donner au gouvernement les moyens d'investir massivement dans l'industrie et de réduire les prix des denrées, perpétuel facteur d'agitation dans les grandes villes. Les ouvriers se virent accorder par l'État-patron un « bol de riz en fer » : licenciement quasi impossible, même pour grossière négligence ou retard chronique, logement subventionné, soins médicaux gratuits, scolarité garantie pour leurs enfants. Malgré la médiocrité des salaires, la plupart d'entre eux y trouvaient leur compte, et leur «unité de travail» devint leur principale source de lien social et d'intégration économique.

Mao connaissant la campagne beaucoup mieux que la ville, la paysannerie eut droit à un traitement plus nuancé que la classe ouvrière: ses membres furent distribués en trois «classes» d'après leur fortune avant 1949 et la superficie exploitable reçue dans le cadre de la réforme agraire. Apparue à l'époque du Soviet du Jiangxi, cette classification avait été largement utilisée dans les régions dominées par les communistes pendant la Deuxième Guerre mondiale. Le paysan «riche», à l'instar du grand propriétaire, pouvait être dépouillé de tout, même de la vie. L'appartenance à la catégorie intermédiaire vous exposait «seulement» à la critique populaire et à une confiscation partielle de vos biens. Le statut de paysan pauvre ou sans terre était l'unique planche de salut. Pour attribuer ces étiquettes, les autorités évaluaient les terres arables, les autres biensfonds, l'outillage et les animaux de trait d'après de minutieux recensements imités des enquêtes que Mao avait effectuées au Hunan en 1926, au Jinggangshan en 1928 et au Xunwu en 1930. Les mieux nantis essayaient souvent de se déclasser en abattant leur bétail et en détruisant leurs récoltes, quand ils ne vendaient ou ne donnaient pas, purement et simplement, la portion de leurs terres dépassant la norme admise. Tout cela favorisait bien évidemment les règlements de compte et une violence sociale que les conflits entre époux ne firent qu'exacerber après l'adoption, en 1950, de la très libérale législation communiste sur le divorce. Des injustices criantes furent commises, notamment à l'endroit de paysans pauvres qui avaient adhéré pendant la guerre civile à une coopérative communiste : les plus diligents écopèrent du statut intermédiaire pour avoir trop amélioré leur sort !

Dans la première moitié des années 1950, des régions entières du pays croupissent toujours dans une pauvreté abjecte. La propriété privée des terres reste la norme, même après leur redistribution. La collectivisation s'opère pour l'essentiel par le moyen de petites coopératives auxquelles les adhérents apportent leurs terres, leur force de travail et leurs animaux de trait ; ils en retirent un revenu proportionnel à cette contribution. Un excellent système d'enregistrement fixe chacun dans la région où il a ses terres ; l'encadrement est assuré par les « unités de travail » qui ont remplacé les anciennes organisations rurales. Pour empêcher les habitants des zones déshéritées de migrer vers les grandes villes, le Parti interdit les déplacements hors du territoire de l'unité de travail, sauf à demander un permis qui n'est qu'exceptionnellement accordé. Ce régime profitera à bon nombre de paysans durs à la tâche, mais en condamnera beaucoup à une vie de misère.

Leader incontesté de la Chine nouvelle, président d'une république d'environ 600 millions de citoyens, chef d'une immense bureaucratie aux innombrables strates, Mao est complètement absorbé par les enjeux nationaux. Il n'est pourtant pas totalement coupé des petites gens, grâce à une correspondance épisodique avec trois groupes de personnes dont il était proche dans sa jeunesse : la famille de Yang Kaihui ; les habitants de Shaoshan, son village natal, et de Xiangtan, le bourg voisin ; enfin, quelques-uns de ses professeurs et condisciples à l'école normale de Changsha. Leurs témoignages font un précieux contrepoint aux abstractions statistiques qui constituent son ordinaire, lui dévoilant les conséquences concrètes de sa révolution sur des gens dont il connaît assez bien les conditions d'existence. La première de ces lettres lui est parvenue une petite semaine seulement après la proclamation de la République populaire. Yang Kaizhi, le frère de Kaihui, y exprimait le désir de venir à Beijing avec quelques parents pour soigner sa mère malade et, accessoirement, chercher du travail. Mao lui a fait une réponse courtoise, mais sans appel : Kaizhi ne doit pas monter à Beijing ni réclamer de faveurs embarrassantes. Il appartient au comité provincial hunanais du Parti de lui trouver un emploi.

Même négative, cette réponse procure aux Yang une prestigieuse référence. En avril, Yang Kaizhi informe son ancien beau-frère qu'il a obtenu un poste dans l'administration provinciale. Un oncle de Kaihui prend la relève : il reçoit une réponse aimable, mais réservée. Une camarade d'école de Kaihui a droit a un peu plus de chaleur. Li Shuyi est la veuve d'un ami d'enfance de Mao, mis à mort par le bourreau de Kaihui. Des liens pareils ne se rompent pas facilement : Li Shuyi et Mao les entretiennent en s'adressant de temps à autre des poèmes où ils évoquent leur passé commun. Elle se sent donc autorisée à solliciter son aide pour obtenir la permission d'étudier « plus sérieusement le marxisme-léninisme » à Beijing. Mao l'en dissuade gentiment. Elle reviendra à la charge un peu plus tard pour décrocher un poste au musée de littérature et d'histoire de la capitale. Il déclinera à nouveau, mais lui offrira un beau prix de consolation : une part des droits d'auteur, certainement substantiels, sur ses *Œuvres choisies*.

Autre voix surgie du passé, Chen Yuying, la gouvernante engagée par Kaihui, prend la plume le 18 décembre 1951 pour rappeler à son ancien employeur sa loyauté à l'égard de sa famille et lui demander la permission de lui rendre visite. Il se dérobe avec délicatesse, arguant du devoir de « parcimonie » pour l'adjurer de rester à Changsha. Si elle a besoin d'aide, il fera tout son possible pour qu'elle l'obtienne. D'autres lettres montrent que son secrétaire particulier envoyait deux fois l'an à la famille Yang une allocation au moins dix fois supérieure au revenu annuel d'un paysan bien nanti. Mao veilla aussi à ce que soient accomplies les visites rituelles aux sépultures de la famille et organisa une fête en l'honneur de son ancienne belle-mère, encore vivante au début des années 1950.

D'autres pièces de cette correspondance personnelle sont plus surprenantes. Un ancien élève de l'école normale de Changsha décrit à Mao un itinéraire politique plutôt compromettant — député à l'assemblée nationale sous le régime militaire, puis membre du Guomindang — avant de lui conter ses déboires financiers. Mao consent quand même à le dépanner. Un autre camarade, de l'école primaire de Xiangxiang cette fois, raconte que ses deux fils ont été exécutés comme « contre-révolutionnaires » durant la réforme agraire de 1952. Quant à lui, il a été placé sous surveillance pour un an et exclu de l'association paysanne locale alors que *son* seul crime est d'avoir travaillé pendant cinq mois pour le Guomindang en 1928. Il revendique le statut de paysan pauvre. Mao lui conseille de persévérer dans la voie de la réforme et d'« écouter les cadres ».

L'époque mouvementée de la chute des Qing resurgit elle aussi dans les lettres du professeur d'histoire et du directeur de l'école normale de Changsha. L'un et l'autre ont plus de 70 ans et manquent cruellement d'argent. Ils signalent à leur ancien élève que Yuan la Barbe, le professeur de littérature qu'il aimait tant, est mort en laissant sa veuve de 70 ans dans le plus complet dénuement. Mao demande à la section locale du Parti de leur servir à tous les trois une modeste rente. La belle-fille du professeur de mathématiques de cette école (Mao haïssait les mathématiques) s'adresse à lui pour faire entrer trois de ses huit enfants dans un établissement réservé aux proches des cadres communistes. Il doute qu'elle y parvienne, mais lui donne quelques noms et l'autorise à utiliser sa lettre comme recommandation. Le dossier renferme encore des lettres de soldats qui l'ont connu en 1911, d'habitants de Shaoshan et de Xiangtan, de salariés d'une revue qu'il a dirigée en 1919, de membres de la Nouvelle Société d'éducation populaire dont il a été le diligent secrétaire, etc. Certaines dénoncent les abus des cadres chargés de la réquisition des grains et de la lutte contre le banditisme.

Ces voix du passé intime seront peu à peu étouffées par le poids des obligations. À la fin de 1953, lorsqu'il fête son soixantième anniversaire, Mao n'est pas seulement le chef d'un parti de plus de cinq millions de membres, il est le président de la République et celui de la commission qui chapeaute les forces armées. Outre la labyrinthique administration pékinoise — 35 ministères déjà, et bientôt le double —, il dirige une organisation partisane qui a des cellules dans chaque capitale provinciale et chaque chef-lieu rural, ainsi qu'un appareil militaire aux multiples ramifications régionales. À chaque échelon, les représentants de l'Administration, du Parti et de l'armée sont censés coordonner leurs efforts, mais c'est le petit comité permanent du Politburo qui assure, sous la férule de Mao, la cohésion de tous ces rouages. Pour mener à bien cette écrasante mission, Mao s'est peu à peu entouré d'une légion de secrétaires et de bureaucrates ; ceux-ci, tout naturellement, filtrent son courrier. Bon nombre de lettres critiquant le gouvernement ou le Parti sont tout simplement réexpédiées, sans que leur destinataire en ait connaissance, aux cadres visés par la dénonciation ! Avec la mort de Staline, en 1953, Mao a acquis une position quasi inexpugnable au panthéon communiste mondial. Sa « pensée » inspire le développement économique et l'action politique dans toute la Chine. Le revers de la médaille, c'est qu'il se sent coupé du monde, écarté des décisions concrètes par des organisateurs hors pair comme Zhou Enlai pour la diplomatie et Liu Shaoqi pour l'économie.

De 1953 à 1955, il exploite le prestige attaché à sa personne d'abord pour limoger deux barons « félons » en Mandchourie et à Shanghai, puis pour donner de l'expansion aux coopératives rurales par la collectivisation d'une plus grande partie des terres et le durcissement des contrôles sur les parcelles et les marchés privés. Ce « Petit Bond » est censé gonfler le flux des investissements industriels et ranimer la ferveur révolutionnaire des masses. En parallèle, des dizaines, parfois des centaines de milliers d'ouvriers agricoles sont affectés à la construction de réservoirs, de canaux, de terrasses. La presse, entièrement contrôlée par

le pouvoir, exalte ces mégaprojets qui prouvent la supériorité de l'organisation socialiste ; les rédactions qui n'y con-
sacrent pas assez de pages sont suspectées de déloyauté.

Quand Mao ne lance pas lui-même un chantier, ce sont
les cadres locaux du Parti qui s'en chargent pour se faire
bien voir du « Président », comme tout le monde l'appelle
à présent. Les cadres supérieurs, eux, sont nettement moins
zélés, car ils estiment que ni l'idéologie ni l'économie n'y
trouvent leur compte. Ce sont les paysans les plus compé-
tents et diligents qui produisent l'essentiel de la richesse ; si
on tient à dégager plus d'argent pour le développement
industriel, le bon sens voudrait qu'on les encourage à
agrandir leurs parcelles et à accroître leurs récoltes. En
juillet 1955, Mao riposte vertement à ses détracteurs : face à
l'explosion imminente d'un vaste mouvement socialiste
populaire, accuse-t-il, « certains d'entre vous titubent
comme une vieille aux pieds bandés et gémissent sans arrêt
que tout va trop vite ». Aux petits accrocs du programme
— ménages pauvres exclus à tort des coopératives, paysans
moyennement à l'aise obligés d'y adhérer contre leur intérêt —, il oppose un problème bien plus grave à ses yeux :
les 650 000 coopératives en activité sont fortement concen-
trées dans la partie nord du pays et comptent à peine
16 900 000 adhérents, c'est-à-dire une moyenne de 26 ménages par organisation. Si on ne fait rien pour encourager
la consolidation et l'expansion du mouvement, inutile

d'espérer une croissance rapide de l'économie. Les vraies menaces qui pèsent sur lui sont, d'une part, l'excès d'optimisme, « déviation gauchiste » qui provoque « le vertige du succès » chez les cadres et les paysans ; d'autre part, « la peur du succès » qui habite les partisans d'un coup de frein. Cette « déviation droitiste » est la plus redoutable, tranche Mao.

« Le vertige du succès » est le titre d'un article de Staline, et ses auditeurs le savent. Il renvoie aux premières collectivisations en Union soviétique. Dans leur hâte, les responsables s'étaient aliéné des millions de paysans et avaient infligé de terribles souffrances à une large frange de la population rurale. Mao reconnaît « l'impétuosité et la précipitation » des Soviétiques, mais n'admet pas que certains s'en servent comme prétexte pour « avancer à la vitesse de l'escargot ». La préparation des paysans russes était insuffisante, leur conscience politique encore embryonnaire. La Chine ne fera pas la même erreur, promet Mao, qui voit la mise en place de cette « agriculture coopérative socialiste » durer 18 ans, de la fondation de la République en 1949 à la fin du troisième plan quinquennal en 1967-1968.

En réalité, il veut brûler les étapes, mais il lui faut d'abord venir à bout des réticences de ses collègues et obtenir l'appui des écrivains et intellectuels dont la prose alimente les campagnes de propagande et d'éducation. Il doit en outre trouver un moyen d'amortir l'impact de la déstalinisation. En abattant la statue du Père des peuples lors du congrès de 1956, Nikita Khrouchtchev a fragilisé la position de Mao, dont la personnalité fait à présent l'objet d'un culte bien orchestré et parfaitement évident pour n'importe quel observateur indépendant bien informé.

Depuis son entrée fracassante dans l'arène culturelle à Yan'an, Mao y tient un rôle de premier plan comme critique et arbitre. Son élévation en 1949 ne l'a pas empêché de prendre une part active aux grands débats sur le cinéma, la littérature et la philosophie, toujours pour appeler à la plus grande vigilance contre les pernicieuses influences de l'ancienne société et pour défendre les petites gens qui osent censurer une œuvre célèbre au nom de la pureté révolutionnaire.

À la fin de 1956, Mao réfléchit donc tout à la fois au potentiel révolutionnaire du peuple, à l'obstructionnisme des « pieds bandés » et à l'urgence d'un approfondissement de la critique, d'une plus large diffusion de l'information aussi, afin de raviver la foi socialiste. De cette méditation naîtra au milieu de 1957 un mouvement critique qui débouchera sur le Grand Bond en avant de l'agriculture et de l'industrie.

Son état d'esprit se perçoit clairement dans le compte rendu du discours de quatre heures qu'il prononce en février 1957 devant les participants à la très solennelle Conférence d'État suprême : hauts fonctionnaires, représentants des milieux culturels et des organisations de propagande, brochette choisie d'intellectuels non affiliés au Parti. Mao y examine les « contradictions » de la société chinoise et du Parti communiste, thème qu'il a déjà exploité en 1937 lorsqu'il cherchait à gagner ses galons d'expert en matérialisme dialectique. Il en distingue deux types : celles qui « nous opposent à l'ennemi », qualifiées d'« antagonistes », et celles qui, s'exprimant « au sein du peuple », sont « non antagonistes ». L'ennemi, c'est ici le grand propriétaire, l'impérialiste (présumément lié à l'étranger) et le Chinois réfugié à Taïwan. Sous le régime du centralisme démocratique et de la dictature du peuple, ces trois catégories de personnes ont été dépouillées de leurs droits civils. Cela est légitime, c'est même la quintessence de la démocratie chinoise : « démocratie dirigée » dont la « liberté de classe » est plus authentique que la « façade » bourgeoise de la liberté parlementaire occidentale. Selon la logique de la lutte des classes, la bourgeoisie nationale chinoise devrait faire partie des ennemis des travailleurs chinois, mais la réalité est autre, car « correctement traitées, les contradictions antagonistes cessent de l'être ». C'est bien ce qui est arrivé en Chine dans le feu du combat commun contre l'impérialisme étranger. La plus grande prudence s'impose donc dans la désignation des ennemis, l'exercice de la compassion et l'évaluation d'un changement. « La lune américaine et la lune chinoise sont une seule et même lune » : celle des

Américains n'est pas *meilleure*. Autrement dit, chaque société contemple le ciel de son point de vue de classe.

Les contradictions au sein du peuple ou du Parti se résoudront plus efficacement en faisant alterner les phases d'unité et de critique qu'en suscitant, comme Staline en son temps, des « luttes sauvages » et des « violences inexpiables ». L'idole déchue « s'y prenait mal ». C'est du septième congrès du Parti, en 1945, qu'il faut plutôt s'inspirer. Les contre-révolutionnaires exécutés entre 1950 et 1952 — Mao les estime à 700 000 — étaient des êtres « brutaux et méchants » qui méritaient leur sort. Prétendre, comme les journaux de Hong Kong, que 20 millions de Chinois ont perdu la vie dans ces purges ne tient tout simplement pas debout. « Comment aurions-nous pu en tuer tant ? », s'exclame l'orateur.

Mao émaille son discours de ces statistiques qu'il recueillait avec tant de soin quand il était plus jeune. Quoique imprécises, elles montrent qu'il est conscient de la persistance de certains problèmes. Le taux d'insatisfaction des adhérents aux coopératives oscille entre 2 et 5 p. 100 ; 10 à 15 p. 100 des ménages ne mangent pas à leur faim ; 40 p. 100 des enfants ne sont pas scolarisés faute d'école dans leur voisinage ; l'État prélève 22 p. 100 de la production céréalière nationale ; 7000 élèves de 29 établissements ont manifesté contre le gouvernement en 1956 ; les syndicats ont lancé au moins 50 grèves, mobilisant parfois un bon millier de travailleurs. Dans ces conditions, pourquoi ne pas laisser « cent fleurs s'épanouir et cent écoles de pensée rivaliser » ? Cette floraison accélérera la métamorphose socialiste. Les leaders doivent s'attendre à n'être pas compris de leur vivant, conclut philosophiquement Mao. N'est-ce pas ce qui est arrivé à Jésus, Confucius, Bouddha, Darwin, Galilée et Luther ?

Cet étrange discours est entendu au-delà de toute attente : l'été suivant, intellectuels et dissidents font assaut de franchise dans l'esprit des Cent Fleurs. Un peu plus tard, l'appel de Mao à explorer des voies nouvelles en agriculture aura le même effet détonant, déclenchant le Grand Bond en avant, lequel sera suivi — comme la dialectique pouvait le laisser prévoir — d'un retour de bâton tout aussi dévastateur que le coup de massue contre les Cent Fleurs. Orchestrée par Deng Xiaoping, le nouveau secrétaire général du Parti, cette gigantesque campagne « antidroitière » frappera non seulement les intellectuels qui ont osé critiquer la solution marxiste aux problèmes chinois ou dénoncer les abus de la bureaucratie communiste, mais même ceux qui se sont contentés d'ironiser sur ses entraves absurdes à la créativité. Des centaines de milliers d'hommes et de femmes seront exclus du Parti, chassés de leurs postes, envoyés dans des camps de détention ou condamnés à se « réhabiliter par le travail » dans les zones rurales les plus reculées du pays ; beaucoup y moisiront pendant plus d'une douzaine d'années. Les milieux scientifiques et économiques paieront un tribut aussi lourd que le monde des arts, de la littérature et de l'éducation. Les critiques les plus bruyants étaient souvent des chercheurs formés à l'étranger ; la foi naïve de ces brillants cerveaux dans la promesse des Cent Fleurs leur vaudra d'être considérés comme des « mauvaises herbes » leur vie durant.

Le Grand Bond en avant est un mouvement beaucoup plus complexe et ambitieux que celui des Cent Fleurs — cette fois, Mao en appelle à *tous* les Chinois —, et son coût final sera incomparablement plus lourd : au moins *20 millions* de personnes périront de faim en 1960 et 1961. Au départ, il s'agit de marier un impératif et une utopie, le développement de grandes coopératives et l'abolition de tous les clivages sociaux, aussi bien selon le sexe et l'âge que selon l'instruction. La solution de Mao consiste à créer environ 20 000 communes à partir des centaines de milliers de coopératives en activité — plus de 700 000 à la fin de 1957 — et de leur confier l'exploitation de toutes les terres arables du pays. Il en escompte un surcroît de souplesse et de prodigieuses économies d'échelle. Cuisines et laveries collectives libéreront les femmes des corvées ménagères et leur permettront de se consacrer à des tâches agricoles directement productives. Des hauts fourneaux domestiques décupleront la production sidérurgique industrielle. Grâce au soutien des milices rurales, l'Armée

de libération populaire pourra se concentrer sur ses missions prioritaires. Les écoles communales combattront l'illettrisme. Des médecins aux pieds nus veilleront sur la
santé de tous les paysans, jusqu'aux plus pauvres. Le flot de
la poésie populaire irriguera la littérature nationale. Une
filière remontant de la famille jusqu'aux instances suprêmes en passant par l'unité de travail, la brigade de production, la commune, le secrétariat cantonal du Parti, celui de
l'appareil provincial et ainsi de suite, assurera la transmission fluide des instructions et mots d'ordre du Parti aux
citoyens.

Durant l'été 1958, un Mao extatique fait part de ce projet
grandiose au Politburo élargi, qui tient comme chaque
année une espèce de retraite fermée dans les somptueuses
demeures érigées jadis au bord de la plage de Beidahe par
les impérialistes étrangers. Les remarques qu'il égrène au fil
de ses discours pendant ces deux semaines brossent un
tableau de l'avenir qui n'a guère de rapport avec la réalité.
S'inscrivant dans la ligne des Cent Fleurs, Mao fait miroiter
à ses collègues une Chine enfin libérée de la faim, capable
de nourrir gratuitement non seulement ses citoyens, mais
encore les pauvres du monde entier. Même si elle doit un
jour nourrir un milliard de bouches supplémentaires, elle
produira encore des excédents grâce au labourage en profondeur des terres, à leur ensemencement dense, au reboisement intensif et, surtout, aux économies d'échelle

engendrées par le travail des masses exaltées ; jusqu'au tiers des terres arables restera en friche chaque année. Le communisme est sur le point de germer, prophétise Mao. Le travail et la discipline guérissant tous les maux, comme il a lui-même pu le constater quand il vivait dans une caverne pendant la guerre civile, les médecins n'auront plus de malades et pourront consacrer tout leur temps à la recherche. Le travail intellectuel se confondra avec le travail manuel, l'éducation avec la production. Personne n'aura envie de se distinguer : tout le monde portera la même tenue, aussi gratuite que la nourriture. Les échelles de salaire disparaîtront, tout comme les résidences privées. La moralité sera telle qu'il ne sera plus nécessaire d'exercer la moindre surveillance sur des citoyens imbus de la passion du sacrifice qui a inspiré la révolution et a poussé tant de gens à « aller à la mort sans demander quoi que ce soit en échange ». La Chine tout entière deviendra un parc si luxuriant et si harmonieux que personne n'aura envie d'aller voir autre chose à l'étranger.

Si le rêve paraît fou à certains des auditeurs, ils se gardent bien de le montrer. À la fin de 1958, la déraison s'empare de la Chine ; elle y régnera sans partage pendant une bonne partie de l'année suivante. Les paysans s'épuisent aux champs, au point que Mao leur conseille de s'arrêter deux jours par mois pour ne pas se surmener. Aux ouvriers, il suggère de dormir au pied de leurs machines pour gagner du temps. Comment est-ce possible ? Mao a déjà dit que « les Chinois sont très disciplinés… À Tianjin, je n'ai eu qu'à faire un geste pour que se dispersent les dizaines de milliers de personnes qui se pressaient autour de moi. » Cette fois, il n'a eu qu'à dire un mot, et tout son peuple a serré les rangs autour de lui. Tout paraît possible, en effet.

CHAPITRE 10

L'empereur aveugle

LES DISCOURS DE MAO sur les Cent Fleurs et le Grand Bond témoignent d'une profonde méconnaissance de la réalité. Lorsqu'il improvise — donc, lorsque le fond et la forme de ses remarques échappent aux soins de ses secrétaires et des idéologues du Parti —, ses conjectures scientifiques, philosophiques ou économiques confinent au simplisme. Pire, il semble de plus en plus indifférent aux conséquences de ses déclarations incongrues.

Le fait est que plus rien ne semble l'atteindre dans le monde qu'il s'est construit. Depuis la mort de Staline, il n'a plus, à l'étranger, d'interlocuteur communiste assez puissant et prestigieux pour oser lui dire ses quatre vérités. Il ne retournera qu'une fois en Union soviétique, pour un motif purement protocolaire (le 40ᵉ anniversaire de la Révolution bolchevique à la fin de 1957), et se gardera bien de dévoiler quoi que ce soit de ses pensées intimes dans ses discours.

Ses relations avec Khrouchtchev sont médiocres : lui qui épingle volontiers Staline devant les cadres chinois, il ne pardonne pas au Soviétique d'avoir déboulonné l'idole sans le prévenir. Leur relation personnelle ne s'en remettra jamais, et leurs deux pays rompront tout lien culturel ou politique en 1960.

Mao accueille beaucoup de chefs d'État à Beijing, mais les rigidités du protocole leur interdisent de relever ses dérapages verbaux. À part ses voyages en Union soviétique, il ne mettra jamais les pieds hors de son pays natal. Pourquoi sillonner les quatre continents, avait-il lancé en 1958 à Beidahe, quand la Chine a tant à nous offrir ? Bon nombre de ses collègues parlent plusieurs langues, ayant vécu et étudié à l'étranger pendant des années. Lui, il a renoncé à apprendre le russe, que son fils Anqing et sa fille Li Min, élevés en Union soviétique, manient avec autant d'aisance que leur langue maternelle, et s'il essaie encore de s'initier à l'anglais, il trouve la chose si pénible qu'il se dispense de cours à la moindre indisposition. Veut-il lire *Que faire ?* de Lénine durant la campagne antidroitière , il réclame une version chinoise à son secrétaire.

Dans sa jeunesse, il a été un observateur attentif des conditions sociales dans son pays. Il a méticuleusement décrit la stratification économique de la population, a su tirer des conclusions hardies de l'agitation et de la violence populaires dont il était témoin. Pendant ses premières années au pouvoir, il a fait des tournées dans les campagnes chinoises, notamment au Hunan, sa province natale. Les lettres que lui adressaient alors les habitants de Xiangtan et de Xiang-xiang montrent qu'il n'intimidait pas ses concitoyens. Après ses baignades dans le Xiang ou le Yangzi, il trouvait souvent le temps de bavarder avec les villageois, qui lui confiaient tout naturellement leurs petits soucis. Ce contact spontané avec le peuple s'est rompu dans la seconde moitié de la décennie. Désormais, il voyage entouré de gardes du corps et d'adjoints, dans un train luxueusement aménagé. Au printemps de 1956, les habitants d'un village proche de Changsha qui voulaient lui exposer leurs doléances ont été froidement priés de s'adresser aux cadres de la section provinciale du Parti. Ce jour-là, Mao a pourtant trouvé le temps de composer une ode en vers classiques sur le plaisir de se laisser porter par le courant !

On se dit que sa femme devrait pouvoir lui dessiller les yeux : Jiang Qing a 20 ans de moins que lui, et ce n'est pas une oie blanche. Née et élevée dans le Shandong, elle a vécu un temps à Shanghai comme actrice de théâtre et de cinéma avant de gagner Yan'an. Pendant la guerre civile, elle a enduré des marches forcées sous le feu de l'ennemi. Au début des années 1950, Mao parle à l'occasion de la santé de sa femme dans les lettres qu'il écrit à ses amis, signe que le couple est encore relativement uni. En 1956, ce n'est plus le cas, bien qu'ils vivent encore tous les deux à

Zhongnanhai. Au médecin soviétique qui la traite pour un cancer du col de l'utérus, Jiang Qing confie qu'elle ne couche plus avec son mari.

À l'époque, ce n'est pas cette troisième passion, entièrement consumée, qui hante Mao, mais son premier grand amour, brisé près de 28 ans plus tôt. En janvier 1958, *Le Quotidien du peuple* publiera un poème qu'il a composé l'année précédente à la mémoire de Yang Kaihui, en réponse à quelques vers de Li Shuyi sur la mort de son mari tué par le Guomindang en 1932. Il sera encensé par la presse littéraire. Il faut reconnaître qu'il est touchant, sa deuxième strophe, en particulier :

> Chang E dans sa solitude
> Déploie ses manches ondoyantes
> Dans le vide immense de l'espace
> Où elle danse pour ces âmes vertueuses.
> De la Terre monte soudain une rumeur :
> Le Tigre est dompté.
> Et les larmes qu'ils versent
> Coulent comme un torrent de pluie.

Chang E est l'héroïne d'une légende chinoise bien connue des lecteurs de Mao. Ayant dérobé l'élixir de l'immortalité à son mari, elle a fui sur la lune, mais s'y est retrouvée très seule, n'ayant personne avec qui partager le trésor volé. Après avoir reçu le poème de Li Shuyi, Mao la pria d'aller sur la tombe de Kaihui à Banchang, le lieu de sa naissance, non loin de Changsha. (Il aurait pu s'y rendre lui-même, mais rien n'indique qu'il l'ait jamais fait.)

Les autres membres de la famille de Mao ne sont pas tellement bien placés pour intervenir auprès du Président. He Zizhen, la compagne du Jinggangshan et du Jiangxi, mène une vie retirée à Shanghai. Elle a fait une dépression en 1954. Selon une source, elle se serait effondrée après avoir écouté un discours de Mao à la radio. Mao a offert de payer son neurologue avec ses droits d'auteur, mais Chen Yi, un compagnon d'armes devenu maire de Shanghai, s'en est chargé en puisant dans le trésor municipal. Quant aux enfants que Mao a rassemblés autour de lui à Beijing, comment oseraient-ils exprimer leurs doutes à ce père tout-puissant? Les filles de He Zizhen et de Jiang Qing, Li Min et Li Na, vivent sous son toit. L'aînée a fini ses études secondaires et fréquente une école normale; la cadette va encore à l'école. (Elle s'inscrira en histoire à l'Université de Beijing en 1961 et obtiendra son diplôme en 1965.) Le dernier fils de Kaihui, Anqing, fait de longs séjours à l'hôpital. (Il épousera en 1962 la demi-sœur de la veuve de son frère.) Les parents, les frères et les sœurs de Mao sont morts depuis longtemps.

Reste la presse, écrite ou parlée, mais peut-elle remplir correctement sa mission d'information, contrôlée comme elle l'est par le Parti? Rien n'y est publié ou diffusé qui n'ait subi une sourcilleuse vérification idéologique. Les polémiques qui y sont rapportées sont le fait de factions rivales qui tentent de publiciser leurs thèses. Le poste de rédacteur en chef, très convoité à cause des privilèges qui s'y attachent, requiert un flair politique aigu : malheur au titulaire qui se trompe de camp. Comme Deng Tuo, directeur du *Quotidien du peuple* pendant la plus grande partie de cette décennie cruciale.

Il aurait été le plus précieux des conseillers pour le chef de son parti si les conditions l'avaient permis. Tout l'y prédisposait : son éducation, son histoire, sa sagacité politique. Fils d'un fonctionnaire impérial, il avait reçu une excellente instruction, tant dans les matières classiques — littérature, art, calligraphie — que dans les sciences occidentales. Il était devenu membre du Parti communiste en 1930, pendant ses études à Shanghai. Après l'invasion japonaise, il avait rejoint les communistes de la base du Shanxi-Chahar-Hebei, à l'est de Yan'an, et s'y était fait remarquer par l'habileté et le courage avec lesquels il s'acquittait de sa mission : éditer des journaux clandestins et opérer une radio pirate. Maîtrisant parfaitement l'anglais, il avait souvent servi d'interprète aux journalistes, médecins et autres visiteurs occidentaux. Ses supérieurs immédiats avaient tous été séduits par son charme, éblouis par son érudition, impressionnés par sa ferveur révolutionnaire. Personne ne fut surpris d'apprendre qu'il avait été nommé rédacteur en chef du *Quotidien du peuple*.

Cette nomination lui imposait un devoir de réserve : quand on dirige l'organe de presse du Parti, on ne choisit ni les sujets ni la couleur idéologique des articles de son quotidien. On ne manifeste pas non plus ses désaccords en public. Aussi était-il réduit à des expédients pour exprimer ses doutes sur la sagesse d'une politique : retarder la publication d'un texte, manipuler une maquette, juxtaposer certains sujets pour faire ressortir par association des vérités cachées. Il tira brillamment son épingle de ce jeu dangereux pendant plusieurs années, mais son habileté manœuvrière fut impuissante à conjurer la malédiction des Cent Fleurs.

Le Petit Bond l'avait déjà placé sur la sellette. Certains membres de la haute direction du Parti s'étaient prononcés publiquement contre cette nouvelle politique agricole et industrielle : fallait-il faire écho à leur opposition ? Une petite phrase du ministre des Finances, source on ne peut plus autorisée, avait fini par apparaître dans les colonnes du *Quotidien* durant l'été 1956. La Chine devait « s'opposer à l'impétuosité et à l'aventurisme ». Suivait un éditorial qui enfonçait le clou et exhortait le pouvoir à « considérer soigneusement les faits pour déterminer ce qui peut être accompli de plus en plus vite et ce qui ne peut pas l'être ». Deng Tuo l'avait rédigé lui-même et l'avait fait approuver par le directeur du Bureau de la propagande du comité central du Parti et par Liu Shaoqi en personne. Le ton serein n'invitait pas à la polémique, mais le fond remettait clairement en cause la pensée de Mao. La réaction du Président révèle à quel degré d'intolérance idéologique il était parvenu. Il griffonna sur son exemplaire de l'éditorial trois caractères, *bu kan le*, qui signifient littéralement « pas lu », mais qu'on peut aussi traduire par « à ne pas lire » ou « ne mérite pas d'être lu ».

La tension entre Deng et Mao tourna au conflit ouvert à propos de la campagne des Cent Fleurs. Déjà irrité par la lenteur du *Quotidien* à publier son discours sur les contradictions, Mao s'exaspéra en constatant le peu de publicité qui était accordé à ses tournées promotionnelles à Tianjin et à Shanghai. Le 10 avril 1957, Deng et son équipe étaient convoqués au palais présidentiel. Le récit de cette entrevue, que nous devons à l'une des personnes qui accompagnaient Deng, montre que Mao n'admettait plus la moindre contestation. En entrant dans la chambre présidentielle, la petite troupe trouva Mao étendu sur son lit, en veste de pyjama, le bas du corps simplement couvert d'une serviette. Le lit était jonché de livres. Fumant cigarette sur cigarette, le Président se livra à une longue diatribe contre la ligne éditoriale du *Quotidien* et accusa Deng de servir une faction plutôt que le Parti. « J'ai déjà dit que ce journal était fait par des pédants. J'ai eu tort. Je devrais dire : par des morts. » Deng tenta de lui expliquer le tortueux processus d'approbation des articles. Mao rétorqua sèchement :

« Pourquoi la politique du Parti devrait-elle être un secret ?…
Si les journaux du Parti restent passifs, la direction du Parti
le sera aussi. Il y a un cadavre quelque part ? Où ? »

Changeant de cible, il apostropha les adjoints de Deng,
nerveusement assis en demi-cercle autour du lit. « Si vous
critiquez Deng Tuo, le plus que vous risquez, c'est un ren-
voi. Comment se fait-il que pas un soupir ne vous ait
échappé, que pas un rapport n'ait été transmis au centre ? »
Deng présenta sa démission en affirmant qu'il avait agi
avec sincérité et bonne foi. Dans le langage ordurier qu'il
employait volontiers, comme pour souligner la rusticité de
ses origines, Mao éructa : « Ta sincérité et ta bonne foi, je
n'y crois pas ! Tout ce que tu connais, c'est ta limousine. Tu
te vautres dans le luxe. Maintenant c'est assez : ou tu chies,
ou tu sors des chiottes ! »

Suivit une algarade qui dura près de quatre heures. Après
avoir reproché au journal de cacher au peuple les progrès
de la production agricole, Mao réitéra sa volonté de forcer
les intellectuels à servir les masses, comme il avait brisé les
capitalistes chinois. S'opposer à sa pensée au nom du
marxisme était pur « dogmatisme ». Dès qu'il aurait démissionné de la présidence de la République (ce qu'il fit au
printemps 1959), il commencerait à tenir une chronique
dans le *Quotidien*. L'un de ses secrétaires particuliers
s'étant aventuré à lui rappeler qu'il avait approuvé bon
nombre des politiques et procédures qu'il dénonçait, Mao

grommela : « Je devais être troublé à ce moment-là. » Au
mois de juin suivant, Deng était démis de ses fonctions.

Cette intervention met en lumière une autre des sources
auxquelles Mao aurait pu puiser pour connaître l'état réel
du pays. Ses secrétaires particuliers étaient des révolutionnaires chevronnés, triés sur le volet. Quelques-uns ten-
taient bien de faire passer à leur patron l'information dont
il semblait avoir besoin, mais ils ne pouvaient partir en
tournée que sur son ordre. La garde personnelle du Président, composée pour une grande part d'anciens paysans
dont le bon sens et l'inculture charmaient Mao, n'avait pas
plus de marge de manœuvre. Beaucoup d'autres familiers
de Mao étaient tout simplement intimidés, soit par sa réputation, soit par ses épouvantables colères : dans la relation apparemment très franche qu'il a livrée de la vie
privée de Mao, longtemps après la mort de celui-ci, son
médecin personnel Li Zhisui avoue qu'il n'abordait jamais
avec son illustre patient des sujets qui auraient pu le fâcher.
L'invraisemblable expérience du Grand Bond put ainsi se
dérouler sans obstacle jusqu'à la catastrophe finale.

Le pire, c'est que Mao n'y croyait pas tellement lui-
même. Lorsqu'une connaissance cherchait à se soustraire à
la mobilisation qu'il avait lui-même décrétée, il était toujours prêt à écrire un mot d'excuse : à la fin de 1957, par
exemple, il intercéda en faveur de la vieille dame qui
avait pris soin de ses trois fils dans les années 1930. C'est

l'expression de ce doute qu'il ne tolérait pas. Les autres membres de la haute direction partageaient son ambivalence : ces vieux révolutionnaires avaient trop d'expérience de l'organisation sociale et de la planification économique pour ne pas redouter les conséquences des Cent Fleurs et du Grand Bond, mais les ambitions qu'ils nourrissaient pour leur pays et pour eux-mêmes les empêchèrent de prendre les mesures qui auraient pu stopper cette course à l'abîme.

Cela ressort de manière saisissante de la transcription des réunions tenues à Wuchang, sur le Yangzi, en novembre 1958. On perçoit, dans la masse des remarques et réponses contradictoires de Mao, qu'il est conscient de tout : la violence inouïe des campagnes populaires ; l'imminence de la famine ; l'urgence d'un contrôle rigoureux de la production ; l'absurdité des objectifs imposés aux aciéries, aux communes paysannes, aux équipes de terrassement ; le maquillage auquel se livrent les cadres à tous les niveaux ; la feinte docilité avec laquelle des millions de paysans appliquent les instructions aberrantes des hautes instances du Parti. La poésie ne ressemble pas à la réalité économique, aboie-t-il, nous ne faisons pas un « rêve » dont nous pouvons sortir à volonté. Mais lorsque le vénérable maréchal Peng Dehuai, ministre de la Défense, reprendra certains éléments de ce discours devant le comité central réuni à Lushan pour faire un premier bilan du Grand Bond, Mao explosera de rage.

Peng a pourtant pris des précautions. Son opposition, il ne l'exprime pas dans un discours, mais dans une missive confidentielle au Président. Rédigée dans la nuit du 12 juillet 1959, elle est remise en mains propres à son destinataire le lendemain. Peng y mentionne que, malgré les progrès réalisés, les résultats du Grand Bond sont un mélange de « pertes et de profits » (il intervertit l'ordre de la formule consacrée « profits et pertes »). On s'est livré à toutes sortes d'exagérations, notamment en ce qui concerne la production d'acier. Mots d'ordre et projections étaient faux, quantité de déviations « gauchistes » ont été commises — au point qu'on pourrait parler de « fanatisme petit-bourgeois ».

Peng n'a pas l'intention de diffuser sa lettre, mais Mao ne lui fera pas de quartier pour autant. Il y va de sa réputation : tout le monde sait que le ministre a fait une tournée d'inspection dans plusieurs régions au début de l'année. Il est allé à Shaoshan, le village natal du Grand Timonier que celui-ci vient d'encenser dans un poème reliant le soulèvement héroïque de la paysannerie hunanaise en 1927 aux efforts tout aussi admirables qu'elle accomplit à l'heure actuelle :

> Maudit par le flot des souvenirs,
> Je revois le lieu de ma naissance il y a trente-deux ans,
> Les drapeaux rouges flottant au bout des lances
> des paysans esclaves

Tandis que les propriétaires serrent leurs fouets
                     dans leurs mains cruelles.
Que de sacrifices il nous a fallu faire pour devenir si forts
Que nous ayons osé dire au soleil et à la lune d'apporter
                     un jour nouveau.
Je contemple avec délice les rangs ondulants de riz
                     et de haricots
Pendant que les héros surgissent de partout
                     dans la brume du crépuscule.

Peng est passé par Shaoshan à peu près au même moment, et ce que le Grand Bond lui a inspiré à lui, c'est une comparaison cruelle : « Comme frapper un gong avec un concombre. » Durant un des ateliers précédant l'assemblée plénière de Lushan (mais pas dans sa lettre), il a expliqué que la hausse de 14 p. 100 de la production de cette commune avait nécessité beaucoup d'aide et d'argent de l'État. « Le Président l'a également visitée, a-t-il conclu. Je lui ai demandé ce qu'il avait appris à ce sujet. Il m'a répondu qu'il n'avait pas posé la question. À mon avis, il l'avait posée. »

L'audace de Mao lui vaudra la victoire. D'abord, il fait faire des copies de la lettre et les distribue aux 150 cadres supérieurs présents. Ensuite, il les convoque un par un et exige qu'ils se commettent publiquement dans un sens ou dans l'autre en les menaçant de lever une armée vraiment rouge et de reprendre la guérilla *contre* eux s'ils se rangent dans le camp de Peng. Piégés, tous ses interlocuteurs lâchent le vieux maréchal, même les quelques cadres qui l'avaient probablement encouragé dans sa démarche. À la fin du plénum, Peng se retrouve dans les limbes politiques. Au lieu de faire désavouer le Grand Bond, sa manœuvre a produit le résultat contraire : l'expérience est endossée à l'unanimité par la haute direction du Parti. Tout ce beau monde sait que les chiffres de la production ont été gonflés et que les taux de rendement officiels ne tiennent pas debout, mais personne ne peut plus s'opposer publiquement au Grand Bond sous peine d'être accusé d'« opportunisme de droite » (autrement dit, de complicité avec Peng Dehuai). Mao paie de sa personne en faisant l'éloge des immenses cantines populaires : « La morale, c'est qu'il ne faut jamais baisser les bras devant l'obstacle. Des réalisations comme les communes et les cantines ont de solides raisons d'être économiques. Elles ne doivent pas et ne peuvent pas être balayées par le vent. » En août 1959, un éditorial du *Quotidien du peuple*, désormais tout acquis au maoïsme, fait monter la pression d'un cran en affirmant que ne pas dénoncer les « droitistes » revient à souhaiter l'échec du Grand Bond. À la fin du mois, l'éditorialiste proclame que ni « les forces hostiles à l'intérieur ou à l'extérieur du pays » ni « les opportunistes de droite au sein du Parti » n'ont pu entraver le Grand Bond. « Les communes populaires n'ont pas sombré. Nous pouvons donc affirmer qu'elles ne sombreront jamais. »

Tout est prêt pour une nouvelle montée en régime lorsque Mao cède la présidence de la République à son camarade hunanais Liu Shaoqi. Délesté d'une foule d'obligations protocolaires qu'il déteste, il se « retire en deuxième ligne » pour se consacrer à la réflexion théorique. Alors même que s'accumulent les indices d'un effondrement de la production agricole et que des régions entières subissent d'épouvantables inondations — les pires du siècle dans certains cas —, les paysans sont sommés d'arracher les plants quasi mûrs et d'ouvrir dans leurs champs dévastés des sillons d'au moins trois mètres de profondeur ! Des centaines de millions d'hommes et de femmes épuisés par une année de labeur harassant repartent à l'assaut de cimes inaccessibles. En 1960, la famine s'abat sur le pays. Peng Dehuai n'est pas rappelé pour autant ; ses avertissements restent lettre morte. Pendant deux ans, le Parti s'obstinera à exiger des rendements délirants de terres qui ne produisent presque rien. Le rêve de Mao est devenu le cauchemar des Chinois.

CHAPITRE 11

L'incendiaire

MILLE NEUF CENT SOIXANTE, *annus horribilis*. La faim fauche les populations épuisées, la sécheresse cuit sur pied les maigres récoltes dans presque la moitié de la zone fertile du pays, des typhons d'une rare violence ouvrent du sud au nord un large sillon de destruction où s'engouffrent de meurtrières inondations. Les pertes sont monstrueuses : entre le cinquième et la moitié des habitants dans bon nombre des régions où un décompte fiable est effectué. La province d'Anhui est dépeuplée. Et pourtant, le diktat maoïste de Lushan exerce une telle emprise sur les esprits que les principales directives du Grand Bond sont rigoureusement appliquées. Les communes restent soumises aux règles ultra-égalitaires de 1957 et 1958. L'État continue à prélever l'« excédent » des campagnes pour développer l'industrie et subventionner les prix des denrées en zone urbaine ; en parallèle, il réquisitionne la main-d'œuvre rurale pour renforcer les brigades ouvrières des villes. Écoles, usines, bureaux sont intégrés dans des communes urbaines vouées, comme celles des champs, à un régime de production intensive mixte.

Ce qui retient l'attention des dirigeants chinois cette année-là, ce n'est pas la tragédie intérieure, mais une tragi-comédie diplomatique : la rupture avec l'Union soviétique, coupable d'avoir ridiculisé les promesses du Grand Bond et persisté dans sa dénonciation du culte stalinien. Pendant qu'on s'affaire en haut lieu à remplacer les financements et les conseillers soviétiques qui aidaient la Chine à développer « sa » bombe atomique et à valoriser les champs pétrolifères du Nord-Est, Mao polémique avec Khrouchtchev et tente de définir le rôle de son pays dans la révolution mondiale. À peine trouve-t-on mention du naufrage de l'économie chinoise dans ses écrits de 1960.

Au début de 1961, le promoteur du Grand Bond en avant consent enfin à faire un petit pas en arrière : les travailleurs ruraux sont renvoyés dans leurs communes d'origine, les paysans autorisés à faire un peu de culture et d'élevage pour leur propre table autour de chez eux. Le régime de vie communautaire est presque entièrement aboli. Mao ayant refusé l'aide alimentaire inopinément offerte par Khrouchtchev, les planificateurs chinois achètent des quantités massives de blé canadien pour soulager la population affamée. À la fin de janvier, le Président charge Tian Jiaying,

membre de son secrétariat personnel depuis 1948, d'en-
voyer trois équipes de sept enquêteurs dans un certain
nombre de communes du Guangdong, du Hunan et du
Zhejiang pour dresser un bilan précis de la situation. Il
semble qu'il se soit enfin souvenu de la règle d'or de sa
jeunesse : les faits sont la seule base de diagnostic qui vaille.

A-t-il médité le rapport atterrant de Peng Dehuai sur
Shaoshan ? A-t-il mesuré l'abîme qui séparait ces chiffres
secs des moelleux souvenirs de sa propre visite estivale en
1959 : ses échanges de politesses avec les vieux du village
pendant le banquet, sa baignade dans les eaux tièdes du
réservoir construit grâce à la mobilisation des masses, son
ode à la gloire des paysans ? Impossible de l'affirmer avec
certitude, mais ce qui est sûr, c'est qu'il tente de comprendre. À la tête de l'équipe envoyée au Guangdong, il place
Chen Boda, l'homme qui l'a aidé à remporter le débat de
1937 sur le matérialisme dialectique ; celle du Hunan est
dirigée par Hu Qiaomu, le secrétaire particulier qui a assisté à l'exécution politique de Deng Tuo. Les trois déléga-
tions comprennent aussi des membres du cabinet de Liu
Shaoqi, des propagandistes, des économistes, des statisti-
ciens. Leur mission : analyser le fonctionnement de deux
brigades, l'une pauvre, l'autre non.

Après avoir pris connaissance des trois rapports, Tian
présente à Mao un résumé décapant où il recommande
rien de moins que le rétablissement de la propriété privée

sur certaines parcelles, l'indemnisation des propriétaires spoliés et le dépeçage des communes géantes en unités à taille humaine dont les adhérents seraient libres de collectiviser ou non la vie quotidienne. Il presse aussi son patron de combattre ouvertement la corruption des cadres. Mao en retient qu'il est urgent d'agir. Avec l'aide de Tian, il rédige un document de 60 chapitres sur les principaux problèmes des communes et, du haut de ce monument à son savoir tout neuf, raille l'ignorance de ses collègues, qui commandent aussitôt leurs propres enquêtes. Refusant de s'en remettre à des intermédiaires, Liu Shaoqi et sa femme passeront plus d'un mois au Hunan (ils visiteront Shaoshan). Partout, le constat est navrant : les gens se taisent par peur des représailles, les cadres abusent de leur pouvoir, même ceux qui viennent de familles pauvres. Liu et ses adjoints mettront un an à rééquilibrer l'affectation des ressources entre l'agriculture et l'industrie ; en cours de route, le ménage ou « équipe » deviendra l'unité comptable de la production économique, et les communes seront démembrées.

Déjà sous le choc, le Grand Timonier essuie à l'époque un autre affront : certains, au sein du Parti communiste, prétendent réduire le rôle directeur de la pensée de Mao dans la Constitution. Ce statut lui a été officiellement reconnu lors du congrès de 1945, mais la référence a été expurgée du texte en 1956, sans doute en réaction à la déstalinisation soviétique et au dénigrement sourd du culte de la personnalité en Chine même. Mao a consenti à ce changement de forme, mais n'a jamais pensé qu'il aurait des conséquences sur le fond. Or, c'est précisément ce qu'il constate depuis le plénum de Lushan. Dans un premier temps, la Ligue des jeunes communistes a lancé un mot d'ordre contre l'emploi abusif de l'expression « pensée de Mao ». Tout à coup, il est devenu presque impossible de trouver les œuvres du Président en librairie. Motifs officiels : une pénurie de papier due au Grand Bond et la nécessité d'augmenter le tirage des manuels scolaires. En mars 1960, un document du centre de propagande du Parti a dénoncé la « banalisation » à laquelle on condamnerait la théorie maoïste en lui attribuant des succès étrangers à son influence comme une découverte médicale ou une victoire au ping-pong. Liu Shaoqi, le nouveau chef de l'État, a interdit d'insérer l'expression « pensée de Mao » dans la propagande destinée à l'étranger. D'autres dirigeants ont publiquement déclaré non seulement qu'elle ne surpassait en rien le marxisme-léninisme, mais même que rien ne pouvait être ajouté aux magistrales analyses de Marx et de Lénine sur l'économie politique et l'impérialisme.

Dans les hautes sphères du pouvoir, Mao n'a plus que deux partisans déclarés : Kang Sheng, le chef de son service de sécurité publique, et le remplaçant de Peng Dehuai à la Défense. Le général Lin Biao lui doit son poste ; en bon courtisan, il ne rate pas une occasion de glorifier la pensée de son maître, « sommet du marxisme-léninisme », devant ses officiers. À la fin de 1961, la publication des *Œuvres choisies* datant de la Deuxième Guerre mondiale et de la guerre civile lui inspire un mielleux panégyrique qui attribue la victoire d'hier à ladite pensée et appelle l'armée à s'en imprégner pour « défendre la pureté du marxisme-léninisme et combattre toutes les tendances idéologiques du révisionnisme ».

Peu à peu, un fossé se creuse entre les idéologues — les « rouges » qui vénèrent la pensée de Mao et croient au pouvoir purificateur des masses — et les technocrates qui fondent leur autorité sur leur compétence économique, scientifique ou administrative. Entre 1962 et 1966, ces deux factions se livreront une guerre acharnée, tantôt dans la coulisse, tantôt au grand jour. Le guérillero qu'est resté Mao en profitera pour occuper les hauteurs du terrain psychologique sur lequel il écrasera ensuite ses adversaires, comme Peng Dehuai à Lushan.

Avant tout, il lui faut évaluer la réaction des paysans à sa révolution agricole. Son fidèle secrétaire Tian Jiaying est donc chargé de sonder les reins et les cœurs dans trois villages du Hunan assez proches les uns des autres : ceux où Mao et Liu Shaoqi sont nés et celui des grands-parents de Mao. Lors de la fête saluant le départ de la délégation, le commanditaire de la mission presse les enquêteurs de ne brusquer personne, d'écouter attentivement, sans autre parti pris que leur foi dans le marxisme, et de garder en mémoire le contexte historique des situations qu'ils découvrent. Le résultat laisse Tian perplexe. Si les habitants du village de Liu semblent se contenter du rétablissement de la propriété privée sur certaines parcelles et du morcellement des communes, ceux de Shaoshan réclament ou bien l'emploi du ménage comme base de répartition (plutôt qu'une unité plus grande), ou bien l'affectation d'une terre à chaque famille : deux revendications carrément de droite ! C'est, on le comprend, un homme inquiet qui quitte Shaoshan pour rejoindre Mao à Shanghai. Il s'est fait précéder d'un exemplaire de son rapport, mais doit tout répéter de vive voix, car son patron n'a pas eu le loisir ou le désir de le lire. Mao n'interrompt pas une seule fois son exposé. « Nous voulons faire ce que demande le peuple, tranche-t-il enfin, mais nous ne pouvons pas toujours suivre ses instructions à la lettre. S'il réclame une répartition par ménage, nous ne pouvons pas l'écouter. » Le problème, c'est que presque tous les dirigeants du Parti sont en faveur de cette instruction erronée. Tian le constatera dans ses conversations avec Deng Xiaoping, Liu Shaoqi et le chef du service d'organisation du comité central du Parti, qui l'appellera directement tant il est pressé de connaître les résultats de sa mission.

De toute évidence, la pensée de Mao ne séduit plus qu'une poignée d'irréductibles dans les cercles du pouvoir.

Avec l'âge, l'homme s'est coupé du peuple dont il se voulait le porte-parole. Celui qui vantait les charmes de la vie troglodytique mène à présent une existence de sybarite dans une série de villas réservées à son usage aux quatre coins du pays. Il ne connaît l'état de ce pays que par personne interposée : des fidèles comme Tian qui s'efforcent tant bien que mal de lui ouvrir les yeux et les oreilles. Sa vie privée creuse le fossé avec ses anciens compagnons d'armes. Difficile pour un vieux révolutionnaire d'accepter les essaims de jeunes femmes qui égaient les nombreuses soirées dansantes de Zhongnanhai, les voyages en train du Président, les séjours dans ses multiples résidences. Un excès de zèle du service de sécurité — la mise sur écoute du train présidentiel — achèvera de ruiner la réputation de Mao : les Grandes Oreilles auront la langue trop longue, ce qui leur vaudra les foudres de leur illustre victime. Peut-être par mimétisme, une partie de la garde présidentielle accepte sans vergogne d'user de son influence contre pots-de-vin et faveurs sexuelles.

Chose curieuse, les enfants de Mao parviennent à la même époque à se faire une place à peu près normale dans la société. En 1962, Anqing, le fils « handicapé par la maladie », épouse à 39 ans la demi-sœur de la veuve de son aîné Anying. Parlant aussi bien le russe que son mari, elle étudie au département de lettres chinoises de l'Université de Beijing. Elle obtiendra son diplôme en 1966. La veuve d'Anying se remarie avec la bénédiction de son beau-père. À sa sortie de l'école normale, Li Min, la fille de He Zizhen, épouse un diplômé de l'Académie des forces aériennes. Elle trouvera un poste dans les services de la Défense ; son mari deviendra professeur à l'académie où il a étudié. Li Na, la fille de Jiang Qing, a commencé des études d'histoire à l'Université de Beijing en 1961 ; elle les terminera en 1965. Ses contacts dans le milieu étudiant seront largement exploités par son père en 1966.

Mao semble avoir poussé les membres de sa famille immédiate à mener une vie aussi apolitique que possible ; il a montré moins de circonspection à l'égard du fils de son frère cadet Zemin (exécuté au Xinjiang en 1943). En 1964, pendant ses études à l'Institut de génie militaire de Harbin, Mao Yuanxin a souvent été reçu par son oncle ; des comptes rendus de leurs entretiens ont été conservés et publiés. À la nature des questions de Mao, on devine qu'il cherche déjà le terrain idoine pour affronter son nouvel « ennemi » : le révisionnisme bourgeois qui, pense-t-il, sape la révolution de l'intérieur et dont les partisans ont infiltré les brigades rurales et les usines urbaines, les comités du Parti et les services de sécurité publique, le ministère de la Culture et l'industrie du cinéma. Il s'en trouve aussi beaucoup dans les milieux de l'éducation : des condisciples de Mao Yuanxin, par exemple, écoutent en secret des radios étrangères et remplissent leurs journaux intimes de pensées subversives.

Et qui d'autre pourrait avoir mis en place les méthodes d'enseignement magistral et les examens absurdes qu'utilisent les écoles pour former et évaluer leurs élèves ?

À 70 ans révolus, Mao songe à la postérité, et il lui semble que seuls des jeunes comme Yuanxin peuvent perpétuer son œuvre révolutionnaire. Pour me succéder, explique-t-il à son neveu, il faut posséder cinq qualités : être un authentique marxiste-léniniste ; aspirer uniquement à servir le peuple ; accepter la règle de la majorité et les critiques d'autrui, même mal fondées ; se plier sans broncher à la discipline du centralisme démocratique ; être modeste et toujours prêt à s'autocritiquer. Sur ce, il ajoute assez cruellement : « Tu as été nourri de miel et tu n'as jamais vraiment souffert. Je serai content si tu deviens centriste plutôt que droitiste. Comment peut-on être de gauche quand on n'a pas souffert ? »

Cette question-là hantera les premières années de la Révolution culturelle. Pour Mao, la solution réside dans la régénération du mouvement révolutionnaire par la recherche, la dénonciation et l'éradication implacables de ses ennemis. Il a déjà dit qu'il faudrait « allumer des feux » périodiquement pour que la révolution survive, et il sait que la perspective en effraie plus d'un : « Personne n'a envie d'allumer un incendie qui pourrait le brûler. J'ai entendu dire qu'il y avait par ici des gens qui n'avaient pas voulu courir le risque d'un grand feu. » Il semble en avoir conclu qu'il lui revenait non seulement de craquer l'allumette, mais aussi d'initier la jeunesse au métier d'incendiaire.

Il trouvera des appuis même pour cette mission apocalyptique. Lin Biao, d'abord : en 1964, le ministre de la Défense impose à tous les membres de l'Armée de libération populaire la lecture du *Petit Livre rouge*, concentré de la pensée de Mao publié par ses soins ; l'année suivante, il abolit les uniformes, insignes et autres marques qui distinguent les officiers des soldats, recréant, au moins dans l'esprit de Mao, l'armée de sans-grades qui a été l'instrument de son destin. Font également partie de l'alliance maoïste des cadres et intellectuels radicaux, basés en grand nombre à Shanghai, qui voient dans la réorientation des politiques agricole et industrielle une dangereuse reculade. Un troisième groupe de partisans gravite autour de Jiang Qing. Apolitique pendant les 20 premières années de sa relation avec Mao, elle s'est découvert une vocation d'arbitre culturel en 1956, au retour de sa cure en Union soviétique. Ses positions radicales sur le théâtre et le cinéma lui ont valu des disciples, tous acharnés à rallumer la flamme révolutionnaire dans le monde culturel et à extirper les éléments révisionnistes qui y pullulent — là-dessus, M. et Mme Mao sont d'accord. La quatrième roue de la charrette maoïste, c'est Kang Sheng. Organisateur syndical et agent secret à Shanghai dans les années 1920, il a présenté Jiang Qing à Mao. Après avoir été formé aux techniques policières en

Union soviétique, il est devenu le chef du service de sécurité du comité central du Parti et le directeur de son école centrale. Il s'est fait inquisiteur littéraire afin de démontrer que les droitistes utilisaient le roman pour propager des thèses anticommunistes.

Ces forces hétéroclites se rencontrent sur le terrain culturel, où elles font cause commune contre certains romanciers, auteurs de théâtre, historiens et philosophes. Shanghai voit alors surgir un formidable appareil de dénonciation dont la propagande, relayée par les nombreux services culturels de l'armée, pourrait aisément être réorientée vers d'autres cibles : formation scolaire et universitaire, gestion municipale des affaires culturelles et éducatives, idéologie des hauts responsables de ces questions… Un mot d'ordre, et une redoutable machine se mettrait en marche.

Il sera donné à la fin de 1965. Exaspéré par la mollesse avec laquelle ses politiques révolutionnaires sont appliquées, Mao soupçonne sa propre bureaucratie de le trahir et doute que Liu Shaoqi, son remplaçant à la tête de l'État, puisse assumer aussi le rôle clé de timonier de la Révolution. Son hostilité envers les intellectuels n'a fait que croître au fil des ans. La jalousie n'y est sans doute pas pour rien : il sait qu'il n'arrive pas à la cheville des membres de son secrétariat chargés de vérifier ses sources littéraires et historiques ! Il n'ignore pas que des érudits comme Deng Tuo, l'homme qu'il a chassé de son poste au *Quotidien du peuple*, mènent au sein de leurs petits cercles littéraires et artistiques une vie très semblable à celle qu'ils auraient vécue sous l'ancien régime. Ils publient dans des revues littéraires des essais élégants et amusants, remplis d'allégories et d'analogies raillant le « directivisme » du Grand Bond et du Parti communiste. C'est eux que vise Mao quand il écrit : « Toute la sagesse vient des masses. J'ai toujours dit que les intellectuels étaient les moins intelligents des hommes. Ils se promènent la queue dressée en pensant : "Si je n'occupe pas la première place dans le monde, j'occupe au moins la deuxième." »

On ne peut pas dire que Mao ait orchestré la Révolution culturelle, mais il a créé le climat qui l'a rendue possible et a choisi nombre de ses acteurs et de ses thèmes. Tout commence en novembre 1965 avec la parution dans un journal de Shanghai d'une virulente attaque contre l'historien Wu Han. À travers lui, c'est son supérieur direct qui est visé : Peng Zhen, l'âme du groupe de cinq hommes qui régente le milieu culturel pékinois. Son cabinet bloque la publication du texte à Beijing, mais le mal est fait. Mao, qui a été aussi surpris que Peng, profite de l'occasion pour se débarrasser du chef du bureau du comité central qui filtre l'information transmise aux dirigeants du Parti. Il a d'autant moins de scrupule à le faire que cet homme, Yang Shangkun, est celui qui avait caché des micros dans son train et ses villas. À sa place, il nomme un homme sûr, le commandant de la garnison de Beijing. De son côté, Lin Biao démet un certain nombre d'officiers supérieurs, dont Luo Ruiqing, un ancien ministre de l'Intérieur devenu chef d'état-major de l'armée. Usé par les interrogatoires incessants, brisé par une série de « meetings de lutte » avec ses inquisiteurs, Luo tentera de se suicider au mois de mars 1966 en sautant par une fenêtre. Jiang Qing se lance aussi dans la mêlée en organisant pour les officiers des conférences sur la décadence bourgeoise et la corruption dans les arts ; les actes de ce « forum sur la création artistique et littéraire » seront publiés.

Persuadé que l'ouvrage de Wu Han était une défense de Peng Dehuai — il l'a confié aux membres de son secrétariat —, Mao accentue la pression sur l'élite politique et culturelle de Beijing. Lin Biao fait également monter la tension en accusant la « droite » de préparer un coup contre Mao. Zhongnanhai est bouclé par les forces de sécurité. Pour au moins deux hommes, les présages sont clairs : Deng Tuo, l'ancien rédacteur en chef du *Quotidien du peuple*, et Tian Jiaying, le secrétaire qui avait tenté d'informer son maître sur les frustrations des paysans, se suicideront dans les dernières semaines du mois de mai.

Au même moment, le mauvais génie sort du vase clos de la hiérarchie communiste où il avait été confiné jusque-là. Des enseignants de l'Université de Beijing placardent des affiches dénonçant les suppôts capitalistes à l'œuvre dans les universités et la bureaucratie culturelle. Mao leur donne son appui. Les étudiants se mettent alors à attaquer de front leurs professeurs. Un éditorial bienveillant du *Quotidien du peuple* propage la dissidence de Beijing aux autres grandes villes et des universités aux lycées. On voit apparaître dans les rues des bandes de jeunes en tenue paramilitaire ornée d'un brassard rouge : les « gardes rouges », défenseurs auto-proclamés du Président Mao. Celui-ci ne risque pas grand-chose, ayant quitté l'agitation de la capitale pour le calme d'une villa bien gardée dans la très jolie région de Hang-zhou. Au mois de juillet, durant un déplacement à Wuhan, il fait dans le Yangzi quelques brasses qui donneront lieu à un ahurissant matraquage publicitaire destiné à convaincre toute la population de sa vigueur physique.

De retour à Beijing, il limoge ou rétrograde ses ennemis au sein du comité permanent du Politburo, puis fait paraître dans *Le Quotidien du peuple* un petit texte réitérant sa volonté de « suivre l'enseignement des masses et rester leur élève comme tous les camarades de notre Parti ». En août, il proclame que « la rébellion est justifiée », appelle à « bombarder le quartier général », revêt l'uniforme et passe en revue du haut de la porte de Tienanmen les centaines de milliers d'étudiants qui y défilent en hurlant des slogans ; un brassard rouge lui est présenté, qu'il accepte en signe d'appui. Quelques semaines plus tard, chaque rassemblement attire *un million* de personnes venues de partout.

C'est qu'entre-temps les étudiants de Beijing ont formé des équipes volantes qui se sont rendues en train — les places sont gratuites — aux quatre coins du pays pour propager la bonne parole.

Deux formes bien distinctes de violence imprègnent la Révolution culturelle. La première est organisée par la poignée de maoïstes à tous crins qui tient désormais tous les leviers du pouvoir central; elle s'exerce au travers d'une espèce de comité de salut public, le «groupe central d'examen des dossiers», qui ne rend de comptes qu'à Mao. Présidé par Zhou Enlai, il comptera jusqu'à 11 membres, parmi lesquels Jiang Qing, Chen Boda et Kang Sheng. Trois bureaux d'investigation sont placés sous ses ordres: ils traiteront 1262 dossiers principaux et un nombre indéterminé de cas annexes avec l'aide du commandement de la garnison de la capitale, de l'état-major de l'armée et du ministère de l'Intérieur.

Leur tâche est simple: justifier des chefs d'accusation qui vont de l'espionnage pour le compte du Guomindang au nébuleux «comportement khrouchtchévien». Torture, privation de sommeil ou de nourriture, interrogatoires prolongés, pressions physiques et psychologiques, tous les moyens sont bons pour arracher des aveux aux inculpés, pour la plupart des personnalités de premier plan, voire des héros de la Révolution comme le vieux Peng Dehuai, qu'on arrachera à son exil du Sichuan pour les besoins du procès. Incarcérés dans des prisons à haute sécurité (celle de Qincheng est particulièrement mal famée), les accusés ne peuvent pas voir les membres de leur famille ni même leur écrire. Les supplications qu'ils adressent à Mao ou à Zhou Enlai pour tenter d'obtenir un adoucissement de leur emprisonnement demeurent lettre morte. Seule une confession mérite lecture.

Les contacts de ces prisonniers politiques avec les « masses révolutionnaires » sont soigneusement réglementés. Les gardes rouges doivent remplir un formulaire « d'emprunt », s'engager à « remettre promptement » leur victime aux autorités, trouver un lieu adéquat — le louer, au besoin — et convoquer le public par voie d'annonces. (Quelques-uns de ces « meetings de lutte » seront remis pour cause de pluie !) Certains accusés sont si demandés qu'on limitera à trois le nombre de leurs comparutions hebdomadaires. Ni Liu Shaoqi ni Peng Dehuai n'y survivront. Deng Xiaoping sauvera sa peau, peut-être parce que Mao ne voulait pas l'écraser, mais seulement l'intimider. Toutes les provinces chinoises seront soumises à cette inquisition organisée ; jusqu'à deux millions de cadres passeront sous les fourches caudines avant la fin de la Révolution culturelle, en 1976.

À cette violence ciblée s'en ajoute une autre, diffuse, informe, dirigée au hasard contre les « reliquats du féodalisme », les « serpents et monstres », les « suppôts du capitalisme au sein du pouvoir ». Un dazibao d'août 1966 donne une bonne idée du programme qu'elle tente d'imposer. Les « gardes rouges de l'école secondaire n° 26 de Beijing » y réclament l'affichage d'une citation de Mao bien en vue dans chaque rue, l'installation dans chaque parc et à chaque intersection de haut-parleurs qui diffuseront sa pensée et le placardage d'une photo de Mao sur chaque façade, autobus, taxi, train, pousse-pousse et bicyclette. Ils exigent en outre des poinçonneurs des trains et autobus qu'ils déclament la pensée de Mao, des libraires qu'ils tiennent un stock des citations de Mao, de tous les citoyens chinois qu'ils aient toujours un exemplaire du *Petit Livre rouge* à la main. Sont prohibés les jeans et pantalons moulants, les « tenues féminines excentriques », les coiffures chic, les chaussures sport, les parfums, les crèmes de beauté, les poissons, chiens, chats et autres animaux de compagnie, les grillons de combat. Les ouvrages classiques sont bannis du commerce. Les propriétaires, *hooligans*, droitistes et capitalistes dénoncés par les masses ne pourront circuler sans porter une plaque les identifiant comme tels. Chaque pièce d'habitation devra accueillir au moins trois personnes — le reste sera remis aux bureaux de logement de l'État. Les enfants sont appelés à critiquer les adultes, et les élèves leurs professeurs. L'alcool et le tabac sont interdits aux moins de 35 ans. Les services hospitaliers doivent être simplifiés, les « traitements compliqués » abolis, les prescriptions médicales rédigées de manière lisible et sans un seul terme anglais. Les écoles et les collèges sont sommés d'intégrer des tâches manuelles et agricoles à leur programme d'étude. Pour témoigner de sa propre métamorphose, l'école secondaire n° 26 se rebaptise « école du maoïsme ».

Il n'existe pas de statistiques sur le nombre des victimes de cette violence sociale, mais elles se comptent certainement par millions. Certaines moururent de leur propre main ou de celle de leurs bourreaux ; d'autres conservèrent de l'expérience de lourds handicaps physiques ou d'inguérissables blessures psychologiques. La durée du calvaire était aussi imprévisible que sa cause : avoir connu des étrangers ou possédé des livres ou des objets d'art étrangers ; aimer la littérature classique ; avoir été un professeur autoritaire ; avoir fait une remarque qui pouvait s'interpréter comme une critique contre Mao ou le Parti. On vit des enfants saccager le logement familial et tabasser leurs professeurs pour se laver des accusations portées contre leurs parents ou grands-parents ; d'autres s'exilèrent aux frontières du pays pour « servir le peuple » et « apprendre des masses ». Des gens brûlèrent ou détruisirent leurs objets précieux, leurs photos de famille, leurs journaux intimes et leur correspondance personnelle pour les soustraire aux iconoclastes. Au sein même des gardes rouges, des affrontements parfois mortels opposèrent beaucoup d'unités qui s'identifiaient plus à un lieu, à une classe ou à un métier —

syndicalistes, ouvriers du bâtiment, gardiens de prison —
qu'à une cause.

La petite silhouette qui saluait du haut de l'estrade de
Tienanmen la mer grondante de drapeaux et de livres
rouges étalée à perte de vue sous ses yeux, ignorait tout des
torrents d'émotion qui remuaient jusqu'au tréfonds ses
adorateurs en larmes. Il lui suffisait d'entendre leurs voix
vibrantes, de deviner leurs yeux mouillés, de savoir qu'il
était, enfin, leur « Grand Timonier, grand maître, grand
chef, et le soleil rouge, rouge au fond de leurs cœurs ».

CHAPITRE 12

Dernières braises

M AO EST SATISFAIT. Et le fait savoir sans détour aux dirigeants du Parti réunis pour une conférence de travail à la fin d'août 1966 : « Nous devrions laisser le chaos durer quelques mois et supposer tout simplement que la majorité fera le bien, et une minorité seulement le mal. » Il accorde donc quatre mois aux étudiants pour manifester et couvrir les murs de dazibaos. Si des étrangers prennent des photos, qu'importe ! L'opinion des impérialistes, ça ne compte pas.

Premier pincement d'inquiétude à la fin d'octobre, bien avant l'échéance fixée. Le 25, Mao rappelle à ses collègues qu'il n'est plus responsable des affaires courantes depuis qu'il s'est replié « en deuxième ligne ». Il l'a fait pour renforcer leur autorité afin qu'à sa mort — « quand j'irai retrouver Dieu » — le pouvoir leur soit transmis sans heurt. Cet effacement volontaire l'a toutefois empêché de suivre de près certains événements qui auraient mérité plus d'attention. «Dans ce sens-là, conclut-il, je suis toujours responsable. Nous ne pouvons pas blâmer les autres sans plus.» Aveu en demi-teinte qui prélude à une confession pleine et entière. Mao a été dépassé par les événements en question, comme tout le monde. «Tout s'est déroulé si vite et de manière si violente» que les gardes rouges ont pu s'engouffrer dans la brèche sans rencontrer d'opposition. «Puisque je suis la cause de ce désordre, conclut-il, il est normal que vous soyez désagréables avec moi.»

Il persévère pourtant, comme en 1959 après la sortie de Peng Dehuai. Il a beau voir que sa politique ne donne rien de bon, il en attend toujours des merveilles. La première phase de la révolution a duré 28 ans, de 1921 à 1949, lance-t-il à ses auditeurs. Sa phase culturelle a commencé il y a seulement cinq mois; «elle peut bien durer encore cinq mois ou davantage.» Pendant l'étape initiale, «l'expérience nous a tracé la voie». Elle le fera encore cette fois-ci, car «les choses peuvent changer, s'améliorer» si tout le monde coopère à l'accouchement du monde nouveau que les événements sont en train d'engendrer.

Laisser faire les étudiants, passe encore; mais les ouvriers et les soldats? Pendant que la révolution mûrit, l'agitation gagne ces groupes-là aussi. Que les travailleurs s'associent (voire fassent grève) pour obtenir des hausses de salaire, plus d'autonomie ou de meilleures conditions de travail, même les plus radicaux des chefs de la Révolution culturelle sont contre! Les quelques associations qui s'étaient formées seront muselées. Et l'armée? Que doit-elle faire face à ces gardes rouges tellement fanatisés par la rhétorique maoïste de Lin Biao qu'ils sèment le chaos économique et politique partout sur leur passage? Là encore, le conservatisme l'emporte (sur le fond sinon dans la forme): pas question de laisser les étudiants et autres gardes rouges occuper seuls l'espace politique. Le vide doit être comblé par des «comités révolutionnaires» composés de membres de l'Armée de libération populaire, de cadres chevronnés, lavés de tout soupçon par les enquêteurs chargés d'identifier les contre-révolutionnaires et suppôts du capitalisme, et de représentants des organisations populaires radicales «trempées» par le processus révolutionnaire.

Mao n'a jamais couché sur papier de manière précise et détaillée ce qu'il attendait de la Révolution culturelle, ni indiqué comment elle était censée se dérouler. Il aura sans doute considéré que la théorie naîtrait de la pratique, puisque c'était ainsi qu'il percevait le phénomène révolutionnaire. Après l'automne 1966, ses déclarations publiques se font rarissimes. Il ne s'adressera plus jamais à une foule, si on excepte ces quelques phrases prononcées au micro planté à l'improviste sur l'estrade de Tienanmen lors du septième rassemblement de gardes rouges, en novembre: «Longue vie, camarades! Laissez-vous guider par la politique, allez vers les masses, soyez avec elles. Conduisez mieux encore la grande révolution culturelle prolétarienne ! » Ce laconisme s'étend aux cercles dirigeants du Parti. Ils ne répercuteront que quelques commentaires de Mao sur la Révolution culturelle. Devant les vainqueurs des guerres littéraires de la gauche shanghaïenne, par exemple, il réitère que son fil conducteur est « le renversement d'une classe par une autre » et que cela représente « une grande révolution ». Il y aurait lieu d'« interdire beaucoup de journaux », mais on ne peut pas s'en passer complètement, car « pour fomenter une révolte, on doit d'abord sensibiliser l'opinion ». Il faut donc mettre la presse entre bonnes mains. Comme pour clarifier sa pensée, Mao évoque alors l'époque où il éditait des journaux et préparait en parallèle les premières grèves dans l'imprimerie, au début des années 1920 : « Nous n'avions pas d'argent, pas de matériel d'impression, pas de bicyclettes. La seule façon de sortir un numéro, c'était de nous lier d'amitié avec les ouvriers d'une imprimerie. Nous faisions le travail en bavardant avec eux. » Mao a toujours voulu croire à l'effet fortifiant du système D sur le pouvoir politique.

À partir de 1967, même ces vagues ruminations se raréfient. La pensée de Mao s'exprime désormais par aphorismes : des commentaires de quelques caractères encadrés dans *Le Quotidien du peuple*, le plus souvent en première page. Un coup d'œil, et chaque citoyen peut savoir dans quelles eaux navigue le Grand Timonier. Ces petites phrases reflètent sans doute assez bien le fond de sa pensée : pourquoi le Parti se mêlerait-il de « rectifier » les brévissimes remarques de l'homme qui *est* toute sa ligne ? Un exemple entre mille, daté d'avril 1968 : « La gauche, le centre et la droite existent dans tous les lieux habités par l'homme — c'est-à-dire partout hors des déserts. Il en sera encore ainsi dans 10 000 ans. »

Les proches de Mao ne furent pas épargnés par la violence révolutionnaire même si les gardes rouges n'eurent jamais accès à Zhongnanhai — ni, du reste, à aucune des bases militaires à haute sécurité, comme celles où l'on mettait au point la bombe H. (Les Chinois avaient fait exploser leur première bombe atomique en 1964, malgré la brouille avec l'URSS.) Mao Yuanxin tenta bien de faire entrer un groupe de gardes rouges dans un complexe militaire de Mandchourie, mais les gardes lui barrèrent le chemin. Rallié à Jiang Qing, le neveu de Mao occupa des fonctions politiques de premier plan pendant la Révolution culturelle. Sa protectrice lui fit attribuer un poste de commandement dans la région de Shenyang (Moukden) et un bureau à Zhongnanhai. Le dernier fils de Mao, Anqing, n'eut pas maille à partir avec les révolutionnaires ; en 1966, ses études universitaires terminées, sa femme Shaohua s'enrôla dans l'Armée populaire de libération et devint en quelque sorte l'agent de liaison de la famille avec les deux piliers institutionnels de la Révolution. Le couple donna à Mao son deuxième petit-fils, Xinyu, en 1971. Li Min, la fille aînée qui travaillait au Bureau de la défense militaire, fut l'objet de critiques acerbes pendant cinq mois. Son père lui refusant toute protection, elle et son mari connurent des moments pénibles. (Mao n'avait pas davantage défendu Jiang Qing durant la campagne de rectification à Yan'an.) Ils avaient deux enfants, un garçon et une fille ; la petite passa une partie de la période critique à Shanghai, chez sa grand-mère He Zizhen.

La fille cadette de Mao était sortie de l'Université de Beijing en 1965. Pendant quelque temps après le déclenchement de la Révolution culturelle, Li Na renseigna son père sur le sentiment des milieux universitaires tout en travaillant au journal de l'Armée populaire. En 1970, elle fut envoyée — sur ordre de Mao ? — dans une « école pour cadres du 7 mai », en fait, un camp de rééducation par le labeur agricole et l'endoctrinement idéologique. Cette « école » était située dans le Jinggangshan, la région où Mao s'était réfugié avec sa petite troupe en 1928-1929 et où il avait connu He Zizhen. Comme en écho à leur aventure, Li Na s'éprit d'un de ses gardiens et l'épousa. Le mariage ne dura pas longtemps, mais lorsqu'elle se sépara, Li Na était enceinte ; en 1973, elle accoucha du troisième petit-fils de Mao.

Quand la Révolution culturelle a-t-elle pris fin? Aucune date ne s'impose naturellement à l'esprit. On s'accorde en général sur l'apogée de la Terreur — 1966 et 1967 —, mais l'esprit extrémiste survécut longtemps à l'extinction des bûchers politiques: il se perçoit dans les rivalités claniques qui déchirèrent le pouvoir, dans la durée et la dureté des « réhabilitations par le travail » des proscrits, dans la persistance des fouilles de domiciles et des saisies d'objets personnels, dans l'inlassable dénonciation de toutes les facettes de l'ancienne société, dans la désorganisation des programmes scolaires, dans la mainmise des comités révolutionnaires sur la plupart des institutions. La sphère culturelle, fief personnel de Jiang Qing, fut soumise à un contrôle sourcilleux, et sa production étroitement surveillée jusqu'au milieu des années 1970. Les tensions permanentes avec l'Union soviétique exacerbèrent cette crispation générale: en 1969, des accrochages eurent lieu le long de la frontière, provoquant une campagne massive de mobilisation avec relance de la chasse aux traîtres et aux « révisionnistes » dans un climat enfiévré par les rumeurs de guerre.

Mao ne tient tout simplement pas en place pendant cette période. Fuit-il l'atmosphère oppressante de Beijing ou sa femme Jiang Qing? En tout cas, il multiplie les voyages en train et les séjours dans ses villas, toujours en charmante compagnie malgré une santé et une vue de plus en plus défaillantes. Il n'a jamais eu un rythme de sommeil régulier — il se croyait en phase avec la lune plutôt qu'avec le soleil comme la plupart des êtres humains — et se bourre de cachets que ses médecins font préparer en pharmacie sous un nom d'emprunt. Il ne mange pas à des heures régulières non plus, et ses dents gâtées lui causent de pénibles abcès. En 1970, il est victime d'une grave pneumonie.

Plus que ses habitudes malsaines et ses excès, c'est la défection de Lin Biao qui semble avoir définitivement ruiné sa santé. Les causes profondes de cette crise nous échappent, mais il semble que Lin ait craint d'être écarté par Mao, lequel avait en effet renoncé à lui transmettre le gouvernail de la Révolution. Furieux et désespéré, Lin et quelques acolytes militaires décidèrent de faire sauter le train présidentiel et de s'emparer du pouvoir. Le complot fut éventé le 13 septembre 1971. Lin prit la fuite dans un avion de l'armée de l'air avec plusieurs membres de sa famille. L'appareil s'écrasa en Mongolie ; tous ses passagers périrent. L'histoire est étrange, bourrée d'invraisemblances, mais ce qui est sûr, c'est que Lin y laissa la vie et que Mao se sentit trahi. Après avoir appris la nouvelle, il s'alita et passa des jours entiers cloîtré dans sa chambre. Ses insomnies s'aggravèrent, son élocution s'empâta, ses jambes et ses pieds gonflèrent. En janvier 1972, les médecins diagnostiquèrent une insuffisance cardiaque ; entre-temps, l'enflure avait augmenté et gagné le cou.

C'est donc un homme dangereusement miné par la maladie qui accueille cette année-là l'ennemi numéro un de son pays : le président des États-Unis. Dernier acte important de Mao sur la scène internationale, cette visite d'État amorcera la normalisation de relations diplomatiques rompues en 1950, au début de la guerre de Corée. Les Américains ont tendu une perche au mois d'août 1971 en ne s'opposant pas au transfert à la République populaire du siège occupé par Taïwan aux Nations unies. Mao l'a saisie dans l'espoir de changer la donne internationale et de faire contrepoids à la puissance soviétique, qui lui paraît désormais plus redoutable que celle des États-Unis. La détente sino-américaine pourrait aussi accélérer le règlement du conflit vietnamien, donc couper l'herbe sous le pied des Soviétiques dans cette région. Enfin, cette visite doit témoigner de l'emprise durable de Mao sur la diplomatie chinoise.

Les négociations préliminaires entre Henry Kissinger et Zhou Enlai ont eu lieu en 1971, dans le plus grand secret : les deux parties avaient trop à perdre pour risquer une fuite. Le 18 février 1972, tous les obstacles ayant été aplanis, Richard Nixon et son secrétaire d'État aux Affaires étrangères pénètrent dans le cabinet de Mao à Zhongnanhai. Nixon remarque que son interlocuteur a besoin de l'aide d'une secrétaire pour se lever. Mao l'avertit d'emblée qu'il a du mal à parler. Il fera preuve d'une modestie confinant à l'autodérision pendant cette entrevue privée. Lorsque les Américains saluent le rayonnement mondial de son œuvre politique, il marmonne qu'il n'a « rien écrit d'instructif » et que ses livres n'ont pas changé le monde, « tout juste quelques endroits aux alentours de Beijing ». À l'évocation d'une de ses formules-chocs, « saisir le jour », il soupire que les gens comme lui résonnent « comme un tas de gros canons » et que cette formule est aussi creuse que la phrase : « Le monde entier doit s'unir et triompher de l'impérialisme, du révisionnisme et de tous les réactionnaires pour construire le socialisme. » En raccompagnant ses hôtes, il traîne visiblement les pieds et grommelle qu'il ne se sent pas très bien. Nixon proteste de sa bonne mine. « Les apparences sont trompeuses », soupire-t-il. De son côté, Kissinger le trouve très au fait de la conjoncture internationale, salue la finesse et la justesse de ses réparties, mais note qu'il a besoin de « deux adjoints » pour s'extirper de son fauteuil, « se déplace difficilement et parle avec beaucoup de peine ». Le médecin de Mao racontera plus tard que son patient s'était exercé pendant des jours à se lever et à s'asseoir avant cette entrevue tellement il se sentait faible.

On reste pantois devant ce virage à 180 degrés de la politique chinoise. D'un geste, Mao vient de faire table rase de plusieurs décennies d'un antiaméricanisme virulent, soigneusement entretenu par toute la presse écrite et parlée de Chine. Rien ne démontre mieux la phénoménale emprise qu'il se savait capable d'exercer sur son peuple. Mais c'est l'une des dernières fois qu'il en fait étalage.

La réhabilitation politique de Deng Xiaoping, en 1973, sera sa dernière démonstration de force. Limogé aux premières heures de la Révolution culturelle, mais moins maltraité que Liu Shaoqi et Peng Dehuai, Deng s'est réfugié dans le Jiangxi et a travaillé pendant au moins une partie de ses années d'exil dans une usine de tracteurs. Mao avait parlé de le rappeler « si la santé de Lin Biao le trahissait », et Deng avait préparé le terrain en rédigeant une autocritique abjecte à souhait, dans laquelle il confessait tout ce dont on voulait bien l'accuser et promettait d'« accepter sincèrement et sans réserve les dénonciations et accusations du Parti et des masses ». Il se disait prêt à expier ses péchés dans la mort, mais espérait se voir confier « une tâche insignifiante pour avoir la chance de réparer et de tourner la page ». En le rappelant à Beijing, Mao sait qu'il va creuser jusqu'à l'abîme le fossé qui le sépare de sa femme puisque Deng et elle se méprisent cordialement, mais voilà : il éprouve pour elle à peu près autant d'aversion et de défiance que son nouveau protégé, et il ne s'en cache plus. On ne peut donc exclure qu'il l'ait réhabilité pour exaspérer Jiang Qing, ni d'ailleurs que ce soient les manœuvres dilatoires de sa femme contre Deng qui l'aient poussé à lui signifier son « congé » en 1974 dans une lettre extrêmement dure : « Mieux vaudrait que nous ne nous voyions plus. Pendant des années, je t'ai prodigué toutes sortes de conseils, mais tu as presque toujours fait la sourde oreille. À quoi bon continuer à nous voir ?»

La santé de Mao s'améliore en 1973 ; il paraît à nouveau alerte, parfois même, vif d'esprit. Les symptômes observés par les Américains en 1972 réapparaissent toutefois dès l'année suivante. En juillet, des examens médicaux démontrent qu'ils sont causés par une dégénérescence des neurones moteurs, la sclérose amyotrophique latérale dont Lou Gehrig a été (jusqu'alors) la plus célèbre victime. Mao ne peut presque plus lire. Il déglutit avec peine, car il n'arrive plus à fermer complètement la bouche. Les muscles de son côté droit s'atrophient. Pendant l'automne et l'hiver, il fait deux longs voyages en train malgré les réticences de ses médecins : l'un à Wuhan, l'autre à Changsha, théâtre de ses premières actions révolutionnaires. Il s'essaie une dernière fois à la natation, sans succès. Réduit aux aliments liquides, il passe le plus clair de son temps au lit, couché sur le côté gauche, mais reste assez alerte et informé pour tuer dans l'œuf un putsch contre Deng : Zhou Enlai étant lui aussi condamné (il se meurt du cancer), seul Deng peut désormais contrer Jiang Qing et sa clique. Mao trouve aussi la force de soutenir une entrevue avec Kissinger et Gerald Ford en 1975. Son élocution est devenue si mauvaise qu'il doit souvent écrire sa réponse sur le bloc que lui tend son infirmière.

L'essentiel de son information sur la vie politique chinoise lui parvient par personne interposée. Son neveu Mao Yuanxin, qui garde sa confiance malgré son ralliement à Jiang Qing, fait la liaison avec le Politburo ; Zhang Yufeng, sa jeune assistante et confidente, s'occupe de tout le reste. C'est elle qui interprète les marmonnements de son patron et qui lui lit à haute voix les documents qui lui sont soumis. D'un demi-siècle plus jeune que lui, elle est née en Mandchourie en 1944, alors que la région était sous domination japonaise. Ses études secondaires bouclées, elle s'est trouvé un poste d'hôtesse à bord des trains réservés aux dignitaires communistes et aux invités étrangers de marque. Deux ans plus tard, en 1962, elle était affectée au train spécial de Mao ; durant un voyage à Changsha, vers la fin de sa première année de service, elle a été invitée à participer aux petites sauteries du Président. Malgré son mariage avec un employé du service ferroviaire, en 1967, et la naissance d'une fille, elle a commencé à suivre Mao dans ses déplacements de longue durée, y compris un voyage de trois mois le long du Yangzi en 1969. L'année d'après, elle s'installait à Zhongnanhai comme dame de compagnie. Une dispute avec son patron l'en a fait brièvement expulser, mais Mao lui a vite ordonné de revenir et a fait d'elle son infirmière et sa secrétaire particulière. Quand il n'a plus été capable de lire, elle a ajouté à ses fonctions celle de lectrice. Depuis 1972, ils mangent ensemble régulièrement, et c'est elle qui décide s'il est en état de rencontrer des visiteurs. Elle est, littéralement, l'interface de Mao avec le monde.

Durant l'été 1975, il est opéré de la cataracte et recouvre, avec des lunettes puissantes, assez d'acuité visuelle pour lire un peu et regarder des films en compagnie de Zhang Yufeng. Certains membres de sa maison assistent aux projections dans une salle voisine. Il faut régulièrement lui faire respirer de l'oxygène, et son côté droit est quasiment paralysé. Ses médecins lui administrent des acides aminés par voie intraveineuse malgré son opposition farouche. En janvier 1976, ils lui refusent la permission de rendre une dernière visite à Zhou Enlai, qui agonise à l'hôpital. Il entendra parler par son neveu Yuanxin des foules immenses qui se sont rassemblées le 5 avril, jour du nettoyage des tombes, sur la place Tienanmen pour rendre hommage au premier ministre disparu, et de la brutale répression militaire et policière de cette manifestation. Il semble alors avoir reconsidéré son appui à Deng Xiaoping. Peut-être s'est-il laissé convaincre que Deng avait suscité les manifestations. Il semble en tout cas que l'élévation inopinée de Hua Guofeng, alors simple secrétaire du Parti au Hunan, au poste de premier ministre et de premier vice-président du Parti, ait été le fruit d'une décision strictement personnelle de Mao. Cette étrange et hasardeuse promotion, qui faisait d'un obscur apparatchik son successeur virtuel, lui a sans doute été dictée par le souci de préserver l'équilibre entre les forces de Deng Xiaoping et celles de Jiang Qing. Une première attaque cardiaque, le 11 mai 1976, incite le Politburo à sélectionner les dossiers qui lui sont communiqués — la décision est prise sans qu'il soit consulté — et à tenir certaines réunions tout près de sa chambre afin de pouvoir s'y rendre rapidement en cas d'urgence. Une deuxième alerte se produit pendant l'été. Le 2 septembre, une crise plus grave laisse Mao très faible et comateux. Il récupère assez pour parcourir quelques rapports le 8, mais il sommeille sur ses feuilles. Vers 23 h 15, il sombre dans le coma. Dix minutes après minuit, le 9 septembre 1976, il expire en présence de ses médecins et des principaux membres du Politburo, convoqués à son chevet.

Ce que nous savons de ses pensées face à sa mort prochaine est consigné dans le procès-verbal d'une rencontre avec quelques membres du Politburo à Zhongnanhai le 15 juin 1976, peu avant sa deuxième crise cardiaque. Mao confie à ses compagnons que les septuagénaires sont une espèce déjà bien rare et qu'à 80 ans passés il est normal de songer à ses funérailles. Le temps lui paraît venu de fermer le cercueil et de prononcer le verdict, comme le prescrit le vieux dicton. Il s'attribue deux grands mérites : avoir combattu Chiang Kai-chek sans relâche jusqu'à ce qu'il soit forcé de se réfugier sur l'« îlot » de Taïwan ; avoir « prié les Japonais de rentrer dans leurs foyers » et libéré la Cité interdite. Personne ou presque ne lui contesterait cela.

Quant à la Révolution culturelle, entreprise qui lui a valu peu de partisans, mais «pas mal d'adversaires», elle n'est pas complète, et tout ce qu'il peut faire à présent, c'est passer le flambeau à la génération suivante. Dans l'ordre si possible, dans le désordre sinon. «Qu'arrivera-t-il à cette génération en cas d'échec? Un vent mauvais et une pluie de sang sont à craindre. Comment vous en sortirez-vous? Le Ciel seul le sait!»

L E PLUS GRAND SPÉCIALISTE occidental de la vie et de l'œuvre de Mao Zedong est Stuart Schram. Auteur d'une excellente biographie (*Mao Tse-Toung*, Colin, Paris, 1963) et directeur de publication d'un recueil de traductions (*Mao Tse-Toung, 1893-1976*, Colin, Paris, 1963), il se consacre depuis des années à réunir et à traduire tous les textes qu'on peut attribuer à Mao avec une certaine certitude. Cette énorme masse de documents est en cours de publication chez M.E. Sharpe (Armonk, New York), sous le titre *Mao's Road to Power: Revolutionary Writings, 1912-1949*. Quatre volumes ont déjà paru : *The Pre-Marxist Period, 1912-1920* (1992) ; *National Revolution and Social Revolution, December 1920-June 1927* (1994) ; *From the Jinggangshan to the Establishment of the Jiangxi Soviets, July 1927-December 1930* (1995) ; et *The Rise and Fall of the Chinese Soviet Republic, 1931-1934* (1997). Mao a livré

beaucoup d'information à Edgar Snow dans l'entrevue
qu'il lui a accordée en 1936, après la Longue Marche, entrevue dont le journaliste américain a tiré le très populaire
Red Star Over China (*Étoile rouge sur la Chine*, Stock, Paris,
1965). On y trouve une foule de détails fascinants, mais l'information doit être traitée avec une certaine prudence.
Parmi les études relativement précoces sur Mao, signalons
encore *Mao and the Chinese Revolution* (*Mao et la révolution chinoise*, Mercure de France, Paris, 1968) de Jerome
Ch'en. Plus récemment, Ross Terrill a produit une biographie très vivante, solidement documentée, mais truffée de
dialogues reconstitués (*Mao : A Biography*, New York, 1980
et éditions révisées). En 1993, une équipe chinoise dirigée
par Pang Xianzhi a publié à Beijing une biographie chro-
nologique en trois volumes, *Mao Zedong nianpu, 1893-1949*.
Impossible d'omettre, enfin, *The Writings of Mao Zedong,
1949-1976*, compilation des écrits de Mao réalisée par Y. M.
Kau et John K. Leung, où l'on trouve tant de précieuses
traductions, dont bon nombre de lettres. Deux volumes
ont paru jusqu'à présent : *September 1949-December 1955*
(Armonk, New York, 1986) et *January 1956-December 1957*
(1992). Depuis quelques années, la Chine s'avère une formidable source d'anecdotes et de souvenirs sur Mao, ses anciens
collaborateurs ayant commencé à publier leurs mémoires.
Nous mentionnons certains de ces ouvrages ci-dessous.

CHAPITRE 1 Le récit autobiographique de Mao à E. Snow reste incontournable, en particulier les pages 122 à 134 de *Red Star Over China*. On peut recouper cette information à l'aide des lettres et écrits de jeunesse publiés par Schram dans le premier volume de la série *Mao's Road to Power* : voir en particulier les pages 59 à 65 (deux lettres de 1915 à des amis et les souvenirs d'un professeur) et les pages 419-420 (l'éloge funèbre de sa mère) de *The Pre-Marxist Period, 1912-1920*. Les renseignements sur la première femme de Mao et sa famille sont tirés du livre de Xiao Feng, *Mao Zedong zhimi* (Beijing, 1992), pages 128-129. Pour plus de détails sur la révolution de 1911 et ses conséquences au Hunan, on consultera avec beaucoup de profit Mary C. Wright, *China in Revolution : The First Phase* (New Haven, 1968) et Joseph Esherick, *Reform and Revolution in China : The 1911 Revolution in Hunan and Hubei* (Berkeley, 1976). Les pages 155 à 158 et 204 à 210 relatent l'aventure de Jiao et de Chen.

CHAPITRE 2 La documentation rassemblée par Schram dans *Mao's Road to Power* a permis de compléter le récit de Mao à E. Snow (p. 139-150 de *Red Star Over China*). Le premier volume de la série renferme la plus ancienne dissertation de Mao qui nous soit parvenue, sur le seigneur Shang (p. 5-6), les notes prises durant ses cours de littérature chinoise (p. 40-43), une relation de ses excursions et baignades par un ami (p. 137-140) et toutes les notes sur Paulsen (p. 175-310). Le deuxième volume de la même série contient, lui, des renseignements sur les réunions de la Société d'éducation populaire et les remarques de Tao Yi (p. 18, 19, 25 et 80-85).

CHAPITRE 3   Pour une étude très soignée de la situation au Hunan à cette époque, voir Angus W. MacDonald, *The Urban Origins of Rural Revolution : Elites and the Masses in Hunan Province, China, 1911-1927* (Berkeley, 1978). La meilleure analyse du Mouvement du 4 mai demeure celle de Chow Tse-tsung, *The May Fourth Movement Intellectual Revolution in Modern China* (Cambridge, Massachusetts, 1960). Le premier volume de la série *Mao's Road to Power* de Schram livre de précieux renseignements sur la maladie de la mère de Mao (p. 317), le manifeste de juillet 1919 (p. 319-320), le général Zhang (p. 476-486), les tentatives de Mao pour apprendre le russe et l'anglais (p. 518) et la Société du livre culturel (p. 534-535). Le deuxième volume de la série donne la liste des actionnaires de la librairie (p. 56-58). Dans le livre d'Edgar Snow, l'essentiel des renseignements sur cette époque figure dans les pages 148 à 151. Signalons aussi le courageux effort d'Andrew Nathan pour démêler l'écheveau politique pékinois dans *Peking Politics, 1918-1923 : Factionalism and the Failure of Constitutionalism* (New York, 1976).

CHAPITRE 4 Les débuts du Parti communiste chinois sont détaillés par Tony Saich dans *The Rise to Power of the Chinese Communist Party* (Armonk, New York, 1996) : on y trouve notamment le texte intégral de tous les documents cités dans ce chapitre et une présentation attentive du contexte du premier congrès. Le même auteur brosse un minutieux tableau de l'action du Komintern en Chine dans les deux volumes de *The Origins of the First United Front in China : The Role of Sneevliet (alias Maring)* (Leyde, 1991). La source la plus valable sur les amis de Mao et les autres étudiants chinois partis pour la France est l'ouvrage de Marilyn A. Levine, *The Found Generation : Chinese Communists in Europe During the Twenties* (Seattle, 1993). L'action syndicale de Mao est bien décrite par Lynda Shaffer dans *Mao and the Workers : The Hunan Labor Movement, 1920-1923* (Armonk, New York, 1982). En ce qui concerne la correspondance de Mao, voir Schram, *Mao's Road to Power*, volume 1, p. 546-547 (commentaires sur Lénine) et p. 608-609 (mariage et viol). Du deuxième volume de la série sont tirés les lettres de Mao à ses amis en France (p. 7-8) ainsi que les renseignements sur l'expansion de la librairie (p. 46-53), la Nouvelle Société d'éducation populaire (p. 28-32 et 68-70) et l'utilisation de l'académie confucéenne comme façade (p. 89-96).

CHAPITRE 5   La principale référence sur les grèves huna-
naises est le livre de Shaffer déjà cité : l'auteur décrit le rôle
des étudiants Liu Shaoqi et Li Lisan (rentrés respective-
ment de Moscou et de France) dans les grèves aux charbonnages et aux ateliers ferroviaires d'Anyuan, de même
qu'aux mines de zinc et de plomb de Shuikoushan ; ainsi
que le travail de Mao auprès des travailleurs du bâtiment
(p. 119-142) et de l'imprimerie (p. 148-161). Dans *Rise to
Power*, Saich produit les documents attestant l'opposition
de Chen Duxiu au Front uni, ses chiffres sur l'effectif du
Parti en 1923 et le compte rendu fait par Mao la même
année de ses difficultés au Hunan. À la page 159 de *Red Star
Over China*, Snow cite l'explication avancée par Mao pour
justifier son absence au congrès de 1922. Le volume 2 de la
série *Mao's Road to Power* contient les statistiques de grève
dressées par Mao en 1923 (p. 172-177), le compte rendu de
son discours de 1926 à Changsha (p. 420-422), le rapport de
1926 sur le Xiangtan (p. 478-483) et tout le rapport de 1927
sur le Hunan (p. 429-468). Les tableaux statistiques s'y rapportant figurent à la page 442, le passage cité à la page 430.
L'extrait de *La grande union des masses populaires* est tiré de
Schram, *Mao's Road to Power*, volume 1, page 386. La transcription chinoise du poème adressé à Yang Kaihui en 1923
provient d'un ouvrage publié par Xiao Yongyi, *Mao Zedong
shici duilian jizhu* (Changsha, 1991), pages 10-13 ; elle m'a
permis de rétablir les quatre dernières lignes de la traduc-

tion de Schram (volume 2 de *Mao's Road to Power*, p. 195-196), qui est basée sur une version révisée du poème.

CHAPITRE 6   *Rise to Power* de Saich rassemble les documents essentiels sur cette période. *The Tragedy of the Chinese Revolution* (Stanford, 1961 ; traduction française : *La tragédie de la Révolution chinoise, 1925-1927*, Paris, 1979) publié par Harold Isaacs en 1961 relate avec beaucoup d'efficacité les événements de 1927. Pour compléter, on se référera au travail de Jean Chesneaux, *Le mouvement ouvrier chinois : de 1919 à 1927* (Paris, EHESS, 1962, réédité en 1999) ou à celui d'Elizabeth Perry, *Shanghai on Strike : The Politics of Chinese Labor* (Stanford, 1993). La période qui suit 1928 est couverte par S. Bernard Thomas dans *Labor and the Chinese Revolution* (Ann Arbor, 1983). Les écrits de Mao datés de 1927 se trouvent dans le volume 3 de la série *Mao's Road to Power*, pages 21-31, 35, 36 (le pouvoir au bout du fusil) et page 44 (plan d'attaque de Changsha). Les documents sur le Jinggangshan figurent aux pages 51 à 130, la lettre à Li Lisan à propos de Kaihui, aux pages 192-193 du même volume. Le poème adressé à Mao par Yang Kaihui en octobre 1928 a été publié dans *Mao Zedong shici* (p. 99-100).

La naissance du troisième enfant de Mao et Kaihui, Anlong, ainsi que les accouchements de He Zizhen sont signalés par

Bin Zi dans *Mao Zedong de ganqing shijie* (Jilin, 1990, p. 32, 95 et 124-130) ainsi que par Ye Yonglie dans *Jiang Qing zhuan* (Beijing, 1993, p. 163-168). Le sort d'Anlong, d'Anying et d'Anqing est mentionné par Xiu Juan dans *Mao Zedong Yuqin zhuan* (Beijing, 1993, p. 42-43 et 83-84). Le texte de l'enquête sur le Jiangxi a été traduit et analysé par Roger Thompson dans *Mao Zedong: Report From Xunwu* (Stanford, 1990). Benjamin Yang traite en détail de l'organisation de la Longue Marche et des réunions de Zunyi dans *From Revolution to Politics: Chinese Communists and the Long March* (Boulder, 1990). Edgar Snow note la naissance de Li Min, la fille de Mao et He Zizhen, à la page 72 de son livre.

CHAPITRE 7   Les comptes rendus des grands débats menés à X'ian et à Yan'an se trouvent dans Saich, *Rise to Power*, pages 769-787 ; les critiques de Wang Shinwei à l'endroit de Mao, à la page 1107 du même ouvrage. Les conférences de Yan'an ont été traduites et commentées par Bonnie S. McDougall dans *Mao Zedong's "Talks at the Yan'an Conference on Literature and Art"* (Ann Arbor, 1980). Pauline B. Keating analyse très finement les politiques des bases communistes du Nord dans *Two Revolutions: Village Reconstruction and the Cooperative Movement in Northern Shaanxi, 1934-1945* (Stanford, 1997). Le compte rendu le plus complet de l'émergence du culte maoïste est l'œuvre de Raymond F. Wylie, *The Emergence of Maoism : Mao Tse-Tung, Ch'en Po-ta, and the Search for Chinese Theory, 1935-1945* (Stanford, 1980). Dans *Étoile rouge sur la Chine*, Edgar Snow dépeint l'art consommé avec lequel Mao soignait son image. Pour une description de la vie dans les autres grandes zones frontalières, voir Chen Yung-fa, *Making Revolution : The Communist Movement in Eastern and Central China, 1937-1945* (Berkeley, 1986). Enfin, Gregor Benton raconte dans *Mountain Fires : The Red Army's Three-Year War in South China, 1934-1938* (Berkeley, 1992) ce qu'il advint des troupes communistes qui ne suivirent pas la Longue Marche.

CHAPITRE 8   Fait étonnant, la guerre civile chinoise de 1945-1949 n'a pas encore trouvé son historien. La politique de l'Union soviétique durant ce conflit est résumée par James Reardon-Anderson dans *Yenan and the Great Powers : The Origins of Chinese Communist Foreign Policy, 1944-1946* (New York, 1980). Les principaux documents sur les politiques communistes ont été réunis par Saich (voir *Rise to Power*). Steven Levine examine le développement de la base communiste en Mandchourie dans *Anvil of Victory : The Communist Revolution in Manchuria, 1945-1948* (New York, 1987). Les discussions entre Mao et Staline ont été publiées dans les numéros 6 et 7 du *Bulletin of the Cold War International History Project* («The Cold War in Asia», Washington, D.C., hiver 1995-1996, p. 5-9). C'est Liang Sicheng, fils du héros réformiste de Mao, Liang Qichao, qui a défendu le projet de conversion de la ville fortifiée de Beijing en cité-jardin idéale; voir à ce sujet Wilma Fairbank, *Liang and Lin: Partners in Exploring China's Architectural Past* (Philadelphie, 1994). Deux ouvrages récents réévaluent la guerre de Corée en s'appuyant sur une masse de documents chinois inédits: *China's Road to the Korean War: The Making of the Sino-American Confrontation* (New York, 1994) de Chen Jian, et *Mao's Military Romanticism: China and the Korean War, 1950-1953* (Lawrence, Kansas, 1995) de Shu Guang Zhang. Les commentaires de Mao sur la mort de son fils en Corée figurent dans le premier des deux volumes publiés par Michael Kau et John Leung sous le titre *The Writings of Mao Zedong, 1949-1976* (Armonk, New York, 1986 et 1992), aux pages 147-148.

CHAPITRE 9   Les lettres à Mao que nous citons ici se trouvent dans le volume 1 de *The Writings of Mao Zedong*: voir pages 13-14, 74-77, 233 et 448 (famille Yang); pages 121, 122 et 141 (anciens professeurs); pages 36, 70 et 161 (abus des cadres). Le rôle des secrétaires de Mao est décrit avec finesse dans le livre publié par Dong Bian, *Mao Zedong he tade mishu Tian Jiaying* (Beijing, 1989). Pour en savoir plus sur le contexte des réformes agraires de Mao, voir le volume 5 de ses *Œuvres choisies* (Éditions en langues étrangères, Beijing, 1976). Le premier jet du discours de février 1957 sur les contradictions est intégralement traduit dans *The Secret Speeches of Chairman Mao: From the Hundred Flowers to the Great Leap Forward* (Cambridge, Massachusetts, 1989); on le trouve dans les pages 131 à 189 de cet ouvrage dirigé par Roderick MacFarquhar, Timothy Cheek et Eugene Wu. Le même livre contient la transcription des échanges de Beidahe, pages 397-441. Sur les premières purges, consulter Frederick C. Teiwes, *Politics at Mao's Court, Gao Gang and Party Factionalism in the Early 1950s* (Armonk, New York, 1990). Timothy Cheek et Tony Saich ont publié un livre qui récapitule bien les sources et données connues sur les années 1950: *New Perspectives on State Socialism in China* (Armonk, New York, 1997).

CHAPITRE 10   La *Beijing Review* a publié dans son numéro du 13 décembre 1993 des renseignements inédits sur les enfants de Mao et leurs conjoints (voir p. 20-22). Sur Jiang Qing et Mao, voir Ye Yonglie, *Jiang Qing zhuan*, p. 240. L'auteur évoque à la page 248 le sort de He Zizhen dans les années 1950. Les conversations villageoises de Mao figurent dans *The Writings of Mao Zedong* de Kau et Leung,

volume 2, p. 80, 83 et 299 ; sa lettre demandant une exemp-
tion pour la bonne d'enfants Chen Yuying se trouve à la
page 803 du même volume. Mao a écrit le poème à Yang
Kaihui et au mari de Li Shuyi le 11 mai 1957 ; il a été publié
le Jour de l'An suivant au Hunan, puis a paru dans la presse
nationale. Je suis le texte chinois et les notes de Xiao Yongyi
dans *Mao Zedong shici*, p. 96-99. Pour la traduction, je me
suis appuyé sur deux versions : celle de Kau et Leung
(vol. 2, p. 539) et celle de Ch'en (*Mao and the Chinese
Revolution*, p. 347-348). Le rôle de Deng Tuo est examiné
par Timothy Cheek dans *Propaganda and Culture in Mao's
China : Deng Tuo and the Intelligentsia* (Oxford, 1997). Sa
confrontation avec Mao est rapportée aux pages 178 à 181.
Une excellente source sur le plénum de Lushan et l'initiative de Peng : Roderick MacFarquhar, *The Origins of the
Cultural Revolution*, volume 2 (*The Great Leap Forward,
1958-1960*, New York, 1983, p. 187-251) ; les citations sont
tirées des pages 197, 203, 247 et 249. Le poème composé par
Mao sur le Grand Bond après sa visite à Shaoshan,
le 25 juin 1959, est tiré de deux sources : Xiao Yongyi,
p. 106-108, et les versions anglaises de Schram (p. 298 du
recueil *Mao Tse-Tung*) et de Ch'en (p. 350).

CHAPITRE 11   Les enquêtes organisées par Tian Jiaying
sont méticuleusement décrites par Roderick MacFarquhar
dans le volume 3 de *The Origins of the Cultural Revolution*
(*The Coming of the Cataclysm, 1961-1966*, New York, 1997).
Voir en particulier les pages 39-43, 50-55 et 264-266. Les
suicides de Deng Tuo et de Tian sont mentionnés aux
pages 456-460. L'auteur présente aussi les factions en
présence à la veille de la Révolution culturelle ; son livre
permet ainsi de contrôler les parties les plus controversées
des mémoires de Li Zhisui, *La vie privée du président Mao*
(Paris, 1994). Les transcriptions des conversations entre
Mao et son neveu Mao Yuanxin se trouvent aux pages 243-
252 de Schram, *Chairman Mao Talks to the People : Talks
and Letters, 1956-1971* (New York, 1974 ; traduction française : *Mao Tsé-toung parle au peuple : 1956-1971*, Paris,
1977). La remarque de Mao sur les intellectuels qui dressent
la queue figure dans le volume 2 de Kau et Leung, *Writings of
Mao Zedong*, p. 611. L'article publié par Michael Schoenhals
dans *China Quarterly* («The Central Case Examination
Group, 1966-79 », vol. 145, mars 1996, p. 87-111) examine ce
groupe au rôle crucial. Schoenhals a aussi publié une ines-
timable collection de documents sur la Révolution culturelle sous le titre *China's Cultural Revolution, 1966-1969 :
Not a Dinner Party* (Armonk, New York, 1996). Le manifeste de l'école secondaire nº 26 figure aux pages 212-222. Je
ne connais aucun récit plus subtil et puissant du tumulte

émotif des jeunes gardes rouges que celui de Rae Yang, *Spider Eaters: A Memoir* (Berkeley, 1997).

CHAPITRE 12   Outre la documentation réunie par Schram dans *Chairman Mao Talks to the People* (p. 270-274), l'anthologie bibliographique de Jerome Ch'en, *Mao Papers, Anthology and Bibliography* (Oxford, 1970), livre un certain nombre de commentaires de Mao sur la Révolution culturelle. Les citations sont extraites des pages 35, 36, 45 à 49 et 153. Les activités de Mao Yuanxin sont mentionnées par Li Zhisui (p. 504-505 de *The Private Life of President Mao*); il produit également la lettre très dure de Mao à Jiang Qing (p. 578) et évoque les contacts qu'aurait eus Li Na avec les étudiants (p. 468, 469 et 504). La liaison et la grossesse de la jeune femme sont rapportées par Ye Yonglie dans *Jiang Qing zhuan*, p. 607 et 608. Li Zhisui semble avoir quelque peu forcé le trait en décrivant la décrépitude de Mao : celui-ci paraît assez alerte et vigoureux dans ses conversations avec Henry Kissinger, durant les cinq visites du secrétaire d'État américain entre 1972 et 1975. Voir William Burr, (éd.), *The Kissinger Transcripts: The Top Secret Talks With Beijing and Moscow* (New York, 1999). On trouve une partie de ces transcriptions dans les mémoires de Richard Nixon (New York, 1978, p. 560-564; traduction française : *Mémoires*, Montréal, 1978) et dans deux tomes de ceux de

Henry Kissinger : *White House Years* (Boston, 1979, p. 1059 ; traduction française : *À la Maison-Blanche, 1968-1973*, Paris, 1979) et *Years of Renewal* (New York, 1999, p. 868-899). Ruan Ruhong a interviewé Zhang Yufeng, l'assistante de Mao durant ses dernières années ; ces précieuses conversations sont publiées dans Huang Haizhou (dir.), *Mao Zedong yishi* (Hunan, 1989), p. 26-39. Les rapports des médecins qui ont assisté aux dernières heures de Mao se trouvent dans Lin Ke *et al.* (dir.), *Lishi de zhenshi* (Hong Kong, 1995), p. 190-198. Les réflexions de Mao aux portes de la mort sont rapportées par Schoenhals dans *China's Cultural Revolution*, p. 293.

REMERCIEMENTS

J E DOIS LES PLUS VIFS REMERCIEMENTS aux nombreuses personnes qui m'ont aidé à rédiger ce livre. Zhao Yilu a fait preuve d'une admirable ténacité dans la recherche et la traduction des sources chinoises récentes sur Mao. Argo Caminis a produit par ordinateur une précieuse liste de sources occidentales toutes fraîches sur le même sujet. Le professeur Zhang Guangda a bien voulu relire mon premier jet et m'a signalé plusieurs problèmes. Lorenz Luthi m'a remis des exemplaires de quelques documents importants qui m'avaient échappé. Annping Chin m'a aidé à interpréter les poèmes de Mao et à mesurer l'impact de ses visions et de ses actes sur ses concitoyens.

TABLE DES MATIÈRES

IMPRESSION
IMPRIMERIE GAGNÉ